CW00871768

www.tredition.de

A. K. D.

DER SCHLÜSSEL
DER OFFENBARUNG

Band I

www.tredition.de

Verlag & Druck: tredition GmbH, Halenreie 40-44, 22359 Hamburg

ISBN
Paperback: 978-3-7482-4870-5
Hardcover: 978-3-7482-4871-2
e-Book: 978-3-7482-4872-9

Der verwundete Wolf

Als er sich nach vorne beugte, um Wasser aus einem Bach zu schöpfen, kam etwas zum Vorschein: *Der Schlüssel der Offenbarung und Wahrheit.* Er glitt ihm über sein schwarzes Hemd und als er aus seinem Becher trinken wollte, bemerkte er ihn.

»Ist es das wert? Jene, die meinen Vater gestürzt haben, haben auch die Wahrheit gestürzt und sie verschlossen«, murmelte er vor sich hin.

So kam es, dass er den Schlüssel, welcher an einer silbernen Kette hing, abnahm und mit Entsetzen betrachtete. Der schwarze Diamant, aus dem er bestand, funkelte förmlich, als der Schlüssel in seinen Händen baumelte, ein sehr seltener Edelstein, welcher nur dem königlichen Geschlecht vorbehalten war.

»Ich kenne weder die Gesichter meiner Feinde, noch weiß ich, welche Türe ich mit diesem Schlüssel öffnen soll. Der Schlüssel zur Wahrheit.« Er verzog angewidert sein Gesicht. »Welche Wahrheit denn!«, erzürnte seine Stimme. »Die Menschen wollen nichts von der Wahrheit wissen, solange sie satt sind, genug zu essen und zu trinken haben. Keiner wird sich gegen die Aristokraten stellen, nur damit der wahre Thronfolger auf seinem Thron sitzt«, führte er seinen Monolog fort.

»Ich selbst wusste ja bis vor Kurzem nicht einmal, dass ich es bin. Zu viel Angst fließt durch die Adern der Bürger des Königreiches Nefalurin. All jene sahen nur tatenlos dabei zu, wie der König und seine Familie grausam abgeschlachtet wurden.«

Ein lauter Pfiff ertönte aus dem angrenzenden Wald und entriss ihn aus seinen Gedanken. Er war nahe der Grenze zum Wald La-Hul, der von den Elekuden bewacht wurde.

Die Elekuden waren ein längst vergessenes Volk und Noxun, des Königs vergessener Nachfolger, wusste noch nicht, was es mit ihnen auf sich hatte. Schnell schüttete er das Wasser aus und packte seinen Becher in seine Tasche, welche an seinem Pferd hing.

Gerade als er aufsteigen wollte, sprach eine sehr sanft klingende und doch gebieterische Stimme zu ihm: »Dies ist ein heiliger Ort Fremdling, was führt dich zu uns?«

»Ich suche nach Izagun dem Weisen«, antwortete Noxun, während er auf sein Pferd stieg.

»Keiner, außer den Hütern der Erde, darf diesen Ort betreten! Mach kehrt, Menschensohn, oder ich kenne kein Erbarmen!«

Noxuns Pferd trabte ungeduldig umher, während Noxun mit seinen Augen, denen nichts entging, alles abtastete. Immer wieder spähte er in Richtung des Waldes, in der Hoffnung, auf einer Baumkrone den Widersacher ausfindig zu machen.

Elekuden waren uralte Geschöpfe, die noch vor den Menschen erschaffen wurden. Perlmuttweiß flimmerten ihre irislosen Augen je nach Gefühlslage heller oder dunkler. Ihre amazonitgrüne Haut erlaubte es ihnen, mit ihrer Umgebung zu verschmelzen, vorausgesetzt, sie waren in **ihrer** Umgebung. Für gewöhnlich verließen sie ihre Gebiete nicht und lebten unter sich, abgeschottet vom Rest der Welt. Bis auf die exotische Haut- und Haarfarbe, unterschieden sie sich äußerlich nicht sonderlich von den Menschen, selbst die Kleidung ähnelte der der Menschen sehr, wobei sie Lederrüstungen bevorzugt trugen. Die Menschheit wusste noch nicht um die wahre Bedeutung der Elekuden, dies würde sich aber rasch ändern.

»Du wirst nicht fündig werden, eher steckt ein Pfeil zwischen deinen Augen, als dass du mich entdeckst«, rief die Stimme aus dem Wald.

Der Elekude hielt sich zwischen dem Gebüsch versteckt und seine dunkelgrüne Hautfarbe machte es schwer, ihn von den Blättern, die ebenfalls in denselben Farben schimmerten, zu unterscheiden. Mit seinen hell flimmernden Augen beobachtete er Noxun und ließ ihn keine Sekunde aus den Augen, während seine schulterlangen schwarzen Haare vom seichten Wind ein wenig verwirbelt wurden. Unversehens kam ein anderer Elekude hinzu, der als Wache für dieses Gebiet postiert war und Kulaf ablösen sollte. Er sah wie Kulaf seinen Bogen gespannt hielt und ihn auf einen Menschen richtete.

»Beim Licht von Al-Mihar, was machst du da!«, blaffte er ihn fassungslos an.

Jedoch schien er die Lage einen Moment später zu verstehen. Dass Kulaf die Menschen hasste, war der Wachablösung bekannt gewesen, doch dass er so weit gehen würde, einen umbringen zu wollen, erschütterte ihn. Kulaf, der nun sachte die Spannung aus dem Bogen nahm, fokussierte sogleich die Wache, seine Augen funkelten vor Zorn.

»Ich wollte nur bereinigen, was die Erde befleckt, diese Menschen verdienen nichts mehr als den Tod selbst, sie sind von schlechten Eigenschaften geprägt, sie bekriegen sich, töten sich gegenseitig, wollen Macht, um dann noch mehr ihresgleichen zu töten und ja …«, er hielt inne. »Einige von ihnen stellen sich sogar mit dem Schöpfer gleich.«

»Kulaf …«, noch ehe die Wache ihren Satz vollenden konnte, senkte Kulaf seinen Bogen und ging ohne ein weiteres Wort. Noxun oder der Schwarze Wolf, wie ihn die meisten nannten, bemerkte dieses Gespräch, machte sie ausfindig und schlich sich im Moment der Unachtsamkeit leise an.

Er versteckte sich hinter einem Baum in unmittelbarer Nähe. Sein Pferd ließ er zur Ablenkung am Bachufer zurück. Der Wachmann, der nun verzweifelt nach ihm Ausschau hielt, weil er ihn während des Gesprächs mit Kulaf aus den Augen verloren hatte, kletterte nun auf den Baumwipfel, um sich einen besseren Überblick zu verschaffen. Dabei war er schneller an der Spitze als es ein Eichhörnchen jemals hätte schaffen können. Die Elekuden waren geschickte Kletterer und noch geschicktere Kämpfer, wenngleich sie die Gewalt verabscheuten. Ihre enorme Sehkraft war der eines Adlers ebenbürtig.

Der Schwarze Wolf staunte nicht schlecht, als er ihn hochklettern sah. »*War das eben ein Elekude? Es gibt sie also wirklich, ich jage nicht nur einem Traum hinterher. Diese Wesen kommen also nicht nur in Märchen und Erzählungen vor. Aber wieso hegte der eine so einen Groll gegen die Menschen?«*

Diese Fragen schossen ihm durch den Kopf und machten ihn sichtlich nervös. Die Tatsache, dass er einer der wenigen Menschen war, die zu dieser Zeit einen Elekuden zu Gesicht bekamen, ließ sein Herz schneller klopfen.

Noxun, ein junger Mann, mit schulterlangen dunklen Haaren, des Königs Nachfolger, ein Meister im Umgang mit dem Schwert, schwankte für eine Weile. Für sein zartes Alter handelte er meist sehr weise, aber eben dieser Mann wusste nicht, was er tun sollte. Er hatte sich nichts erhofft und gleichzeitig alles, als er den Schlüssel in die Hände bekam und dadurch Izagun immer wieder in seinen Träumen erschien und ihm befahl, im Wald La-Hul nach ihm zu suchen. Uneinig waren seine Gedanken, als er aufbrach, es hätte auch eine Reise in das Nichts sein können.

Der Wachmann spähte immer noch zwischen dem Geäst, in der Hoffnung, Noxun ausfindig zu machen. Seine Augen allerdings sahen nichts, außer dem schwarzen Pferd von Noxun, welches sich nicht um die Geschehnisse kümmerte. Es trabte inzwischen heiter am Bachbett entlang und schnüffelte im Gras herum. Das Gebiet war sehr überschaubar, es war flach mit kleineren Böschungen, die bergab ins Tal führten.

Von allen Entscheidungen, die er treffen konnte, traf er die falsche, wie sich später herausstellen sollte, denn Noxun nahm die Verfolgung von Kulaf auf. Er

hatte Glück, Kulaf ging langsamen Schrittes und gedankenverloren tiefer in den Wald. Er folgte keinem
genauen Pfad und lief ziellos umher. Ganz langsam
und mit bedachten Schritten schlich er ihm hinterher,
so geschickt, dass man ihn kaum hörte, dabei betrat er
den Wald La-Hul.

Der Wald La-Hul oder auch Wald des Todes, wie
ihn die Menschen nannten, war ein gefährlicher Ort.
Es hieß, die Bäume lebten, atmeten und fühlten wie
Menschen, und die Tiere seien feindselig gegenüber
denselbigen. Seit Anbeginn der Zeit rankten sich viele
Mythen und Sagen um diesen Wald. Menschen, die
hineingingen, um zu erfahren, was es damit auf sich
hatte, wurden nie wiedergesehen und seit geraumer
Zeit kursierten Gerüchte durch die Welt, dass die
dunklen Fürsten im Wald umherziehen und alles Leben beenden, was sich ihnen in den Weg stellt. So kam
es irgendwann dazu, dass die meisten Menschen diesen Wald mieden und nur vermeintliche Irre hineingingen. Deshalb wusste auch niemand, was hinter
dem Wald lag.

Noxun hatte Bedenken, ob diese Elekuden wirklich
die Hüter der Erde waren, wie die Sagen es behaupte-
ten und nicht nur ein Volk, das aus Scheu zu den Menschen in Vergessenheit geriet.

Der Wald war dicht besiedelt von hohen Bäumen,
deren Stämme kräftig waren und die Kronen hoch in
den Himmel ragten. Die Blätter hatten ungewöhnliche
Farben. Meist in dunklen, satten Tönen, aber hell
schimmernd, als ob jede Pflanze lebte und sich bemerkbar machen wollte. Auf den Baumrinden waren

zum Teil seltsame Zeichen eingeschnitzt. Die Schriften konnte der Schwarze Wolf nicht entziffern, aber die Reliefs konnte er deuten. Ein Relief, welches ihm besonders im Gedächtnis blieb, war jenes, das einen Elekuden mit einem hell leuchtenden Kristall in der Hand zeigte, dieser Stand vor einer Art Höhleneingang. Folgendes stand darunter, in einer Schrift, die den Menschen bekannt war: *»Jene, die das Licht der Welt erblickten, werden wieder zu Licht. Jene, die ihr Dasein im Schatten verbrachten, werden hier verweilen.«*

Noxun war kurz davor, die Verfolgung aufzugeben. Zu viele Fragen schossen ihm durch den Kopf und er war nicht bei klarem Verstand.

Alles wirkte befremdlich auf ihn, als ob sich die Welt von einem in den nächsten Moment verändert hatte.

»Welch ein seltsamer Ort«, war sein Gedanke.

Schon bald hatte er Kulaf aus den Augen verloren und sich seinen Gedanken hingegeben. Er lehnte sich an einen kahlen Baum, ohne Blätter, die das Leben mit einem Funkeln zum Ausdruck brachten. Sein Kurzschwert, welches er nur selten gebrauchte, legte er ab, um seine Last zu erleichtern. Sie steckte in einer mit schwarzem Leder überzogenen Scheide, die verziert war mit silbernen Gravuren. Ein heulender Wolf war zu sehen. Es war einst das Symbol des Königshauses, in dem seine Ahnen seit Anbeginn der Zeit geherrscht hatten.

»Ich weiß nicht wohin mit meinen Gedanken«, hauchte er kurzatmig durch die Aufregung.

Seitdem ihm der Schlüssel übergeben wurde, beschäftigten ihn Fragen und die Ungewissheit öffnete eine Kluft in ihm, eine Kluft, in die er immer wahrscheinlicher hinabzustürzen drohte.

Noxun wuchs als normaler Junge auf, ohne zu wissen, wer er wirklich war, denn sein Vater Noktrin übergab ihn im Kindesalter an einen Bauern. Dieser Bauer war nicht nur ein einfacher Landarbeiter, wie sich später herausstellen sollte. Noktrin ahnte, was ihm zu drohen schien und wollte somit, indem er Noxun in Sicherheit gab, einen Funken Hoffnung waren. Noxun fühlte sich überrollt von alldem, was geschah. Urplötzlich bekam er einen Schlüssel, um die Wahrheit zu lüften und erfährt, dass er der Sohn des Königs sei.

»Vielleicht bleibt die Wahrheit doch besser verborgen, da wo auch immer sie sein mag. Was kann einer allein schon ausrichten?«

Es war, als ob sein Unterfangen schon von Beginn an zum Scheitern verurteilt war, und jetzt sah er auch noch einen Elekuden, von denen er dachte, sie existieren nur in Märchen, die den Kindern erzählt werden. Doch es gab noch viel mehr auf dieser Welt, wovon er noch nichts wusste.

Plötzlich hörte er, wie die Sehne eines Bogens gespannt wurde. Das Geräusch holte ihn aus seinen Gedanken, und ehe er sich versah, stand er vor ihm: Kulaf. Denn während sich Noxun in einer geistigen Umnachtung befand und vor sich hinmurmelte, entdeckte ihn der Elekude. Sein Bogen war bis zum Anschlag gespannt, und er war bereit, ihn jeden Moment abzu-schießen. Eine falsche Bewegung vom Wolf genügte und ein Pfeil würde zwischen seinen Augen stecken, dann wäre alles vergebens gewesen und die Welt würde ins Chaos stürzen.

»Welch eine Torheit, du nimmst die Verfolgung eines Elekuden auf. Genau diesen Übermut der Menschen verachte ich so sehr, dass ich euch alle in den Flammen der Unterwelt brennen sehen möchte! Die Sünden sollen auf eurer Haut versengen und ihr sollt schreien«, blaffte er ihn an.

»Nicht alle Menschen sind böse, und nicht alle verdienen die endlosen Flammen der Unterwelt oder den Tod. Ich bin nicht hier, um Feindschaften zu schüren, sondern, um die Wahrheit zu finden.«

Noxun schwieg, er wollte und konnte nicht sagen, was er wirklich vorhatte, denn niemand durfte davon erfahren, außer Izagun, der Oberste und Weiseste aller Elekuden, wollte es so.

»Der Schlüssel und das Loch, zu dem es gehört, und überhaupt alles, was damit in Verbindung steht, müssen einstweilen geheim bleiben«, grübelte er nach.

»Du Narr, kein Mensch darf auch nur in die Nähe unseres Landes kommen. Es ist eine Beleidigung, dass du dich in unsere Nähe wagst, und uns mit deiner Anwesenheit besudelst«, verzog der Elekude grimmig das Gesicht.

»Nicht einmal Könige dürfen passieren«, fügte er nach einer kurzen Pause hinzu.

»Aber er selbst hat mich in meinen Träumen gerufen«, erwiderte Noxun. *»In Ungewissheit treibst du vor dich hin.*

Die Leere, in der du dich befindest, wird vom Schatten umhüllt.

Ist es die Lüge, die du versuchst ans Licht zu bringen

Oder die Wahrheit, die dir das Licht bringt?

Dies und noch weitere Dinge sprach er zu mir, ehe er mir befahl, nach ihm zu suchen.«

Kulaf dachte ein Weilchen nach und wurde unruhig, denn wenn es stimmte, was er sagte und er ihn umbringen würde, würde er als Verräter gelten und damit zum Abtrünnigen werden. Genau diese Minute der Unachtsamkeit nutzte der Schwarze Wolf, denn er wusste, dass der Elekude ihn niemals freiwillig durchlassen würde. Ausgerechnet dieser eine, unter so vielen guten Elekuden, begegnete ihm. Das Schicksal der Welt lag auf Messers Schneide. Blitzschnell warf er seinen Dolch auf ihn und verfehlte ihn absichtlich, um ihn nicht zu verletzen und ergriff daraufhin die Flucht.

Im nächsten Augenblick rannte Kulaf ihm wutentbrannt hinterher. Noxun rannte in dieselbe Richtung zurück, aus der er gekommen war, in der Hoffnung, auf sein Pferd zu treffen und mit ihm zu flüchten. Doch dies stellte sich schwieriger dar als gedacht. Der Wald hatte keine Wege oder Pfade, denen man hätte folgen können. Der Schwarze Wolf musste sich deshalb auf seine Instinkte verlassen. Er konnte nur ahnen in welche Richtung es ging.

Während der Verfolgung erlitt Noxun einige Kratzer durch Äste und Ranken, die von den Bäumen hinabhingen. Hier wuchs alles größer und stärker, als es die Menschen aus den Königreichen kannten. Da die Elekuden hier heimisch waren, verkürzte Kulaf den Abstand zu Noxun immer mehr. Seinen Bogen hatte er liegen gelassen, da er ihn nur behindert hätte, stattdessen wollte er, falls nötig, von seinem Dolch Gebrauch machen, welcher an seinem Gurt hin und her schaukelte.

Kulaf verpasste Noxun immer nur ganz knapp, die Wurzeln der Bäume, die aus dem Boden ragten, fungierten als Stolperfallen für Unachtsame. Immer nur im letzten Augenblick konnte sich der Schwarze Wolf aufrappeln. Glücklicherweise flüchtete er in die richtige Richtung, da der Wald sich immer mehr lichtete. Kurz bevor ihm die Kraft ausging, hörte er das Rauschen vom fließendem Wasser. Und tatsächlich befand sich in einiger Entfernung ein Fluss mit reißender Strömung, welcher bergab ins Tal floss und in den sogenannten Gewissensfluss mündete. Abrupt änderte er seine Rute in Richtung des Lärms. Kulaf bemerkte dies und war erfreut darüber, denn er kannte den Fluss und wusste, dass die Strömungen zu stark waren, als dass sie ihm zur Flucht verhelfen würden.

Das Unterholz war nun nicht mehr so hinderlich und der Wald lichtete sich immer mehr. Während Noxun rannte und den Hindernissen immer geschickter auswich, schossen ihm wieder unzählige Gedanken durch den Kopf.

»Was ist, wenn ich scheitere? Was passiert, wenn ich es nicht schaffe zu entkommen? Endet meine Reise schon zu Beginn, ist dies mein Schicksal?«

Die Sonnenstrahlen drangen immer mehr durch die Äste und Blätter, sodass einzelne Strahlen Noxuns Gesicht trafen. Ab und an blendete ihn das immer heller werdende Licht.

Dem Elekuden hingegen schien dies nichts auszumachen. Seine Augen, die nun vor Wut funkelten und die dadurch noch stärker zum Pulsieren gebracht wurden, ließen sich durch kein Licht der Welt blenden. Seinen Dolch hatte er mittlerweile gezogen, er war ungewöhnlich groß und mit Runen verziert. Es handelte sich dabei um dieselbe Sprache wie die der Menschen. Die ganze Welt sprach nur diese eine Sprache. Die Buchstaben waren allerdings anders als die der Menschen und somit konnten nur die heimischen Elekuden sie entziffern.

»Du Feigling, bleib stehen!«, krächzte Kulaf.

Sein Geschrei war derart hasserfüllt, dass Noxun zusammenzuckte.

Zu seinem Glück war der Fluss nun in Sichtweite. Wegen der vielen schlangenartigen Kurven, die bergab führten, wurde dieser auch der Schlangenrücken genannt. Die Strömungen waren reißerisch und das Wasser schlug an jeder Kurve an scharfkantige Felsen, sodass die Gischt meterweit in die Luft schoss und sich dann auflöste. Es war undenkbar, dass jemand diese Strömung überleben könnte.

Noxun war sich der Gefahr, in der er sich befand, nicht bewusst. Er kannte den Fluss nicht und einen

Kampf mit Kulaf wollte er vermeiden. Deswegen sah er keinen anderen Ausweg als hineinzuspringen. Wieder in den Wald zu flüchten, war auch keine Option, es wäre nur eine Frage der Zeit gewesen, bis ihn dann Kulaf, der auf diesem Terrain einen Vorteil hatte, einholen würde. Noxun traute sich noch nicht, in den Fluss zu springen, jetzt da er den Fluss mit eigenen Augen sah, überkam ihn ein mulmiges Gefühl. Er rannte am Flussufer entlang der Flussrichtung. Sein Langschwert, das ihn sichtlich beim Rennen behinderte, wollte er nicht zurücklassen. An seinem Gürtel baumelnd, brachte es ihn fast aus dem Gleichgewicht.

Kulaf, der nun seinen Dolch zückte und seinen Arm nach oben streckte, um zum Stoß auszuholen, war nur noch wenige Schritte von Noxuns Rücken entfernt. Geschickt nutzte er einen kleinen Felsen als Sprunghilfe und in der Luft hielt er den Dolch mit beiden Händen, bereit zum Todesstoß wie eine gefährliche Schlange, die jeden Augenblick zubeißt. Der Schwarze Wolf wollte sich in diesem Augenblick umdrehen, um den Dolchstoß abzuwehren, scheiterte jedoch vergeblich. Kulaf durchbohrte Noxun am Rücken, dieser fiel regungslos in den Fluss, der nur darauf wartete, jemanden zu verschlingen.

Erstarrt blieb Kulaf am Flussufer zurück. Blut tropfte von der Dolchspitze hinab auf die Grashalme, die dadurch leicht einknickten. Seine Hände zitterten vor Wut und vor Aufregung, aber auch aus Angst, denn er war nun der erste Elekude, der einen Menschen umgebracht hatte, dies dachte er zumindest.

Noch war Noxun nicht tot, die Wunde war tief, aber nicht tödlich gewesen.

Die Strömungen rissen ihn südwärts in Richtung des Gewissensflusses. Jedes Mal, wenn er kurz auftauchen konnte, schnappte er keuchend nach Luft. Das Wasser erschlug ihn fast und durch seine schwere Ausrüstung war es mühselig für ihn, nicht unterzugehen. Trotzdem gelang es ihm zunächst, sich immer kurz vor dem Zusammenprall mit einem Felsen geschickt abzustoßen. Dies schaffte er einige Male, aber seine Verletzung machte sich zunehmend bemerkbar. Seine Wunde blutete unnachgiebig und ihn verließen allmählich die Kräfte. Letztendlich stieß er mit seinem Kopf gegen einen der Felsen, verlor das Bewusstsein und trieb nun völlig wehrlos den Schlangenrücken hinab. Allerdings hatte er merkwürdiges Glück, denn die Strömung schien ihn aus einer Laune heraus nun auf seinem Rücken zu tragen. Das Wasser lenkte ihn so geschickt an den Hindernissen vorbei, dass selbst ein Fisch nicht schlecht gestaunt hätte, sofern er ein gewisses Maß an Intelligenz besäße.

In diesem Fluss aber, waren keine Fische, die dieses kleine Wunder hätten bezeugen können. Das Geström wurde nun langsamer und der Schlangenrücken mündete mitsamt Noxun in den Gewissensfluss, der viel sanfter floss und keine tückischen Hindernisse bot.

Der Gewissensfluss trennte das Reich der Elekuden von dem der Menschen. Vom Nordmeer bis zum Westmeer floss es ohne viele Umschweife.

Bis die Abenddämmerung herbeizog, trieb er die ganze Zeit über Richtung Westen, mit wenigen Anzeichen von Leben, sein Atem war nur sehr flach. Der Mond strahlte so hell in jener Nacht, dass er den gesamten Fluss silbrig schimmern ließ. Seltsamerweise zwitscherten die Vögel immer noch, obwohl es bereits dunkel wurde.

Wahrhaftig war dies ein seltsamer Ort und die Menschen, denen das Unbekannte Angst machte, mieden ihn, ohne die wahre Schönheit darin zu erkennen. Einige Menschen, die auf der anderen Seite lebten und sich dem Fluss nur gelegentlich näherten, um Wasser zu holen, berichteten immer wieder von diesen seltsamen Dingen. Die Eulen riefen ihre Namen im Einklang mit dem Vogelgezwitscher, wie sie nur an herrlichen Sommertagen zu hören waren. Manch einer hörte sogar die Schreie oder das Heulen von Neugeborenen. Aber der Schwarze Wolf bemerkte nichts von alledem, immer noch bewusstlos trieb er weiter gen Westen mitsamt einer roten Linie, welche sein Blut hinterließ, bis plötzlich eine Hand sich ausstreckte und ihn ans Ufer zog. Wie ein erlegtes Tier warf er ihn auf seinen Rücken und lief mit behäbigen Schritten in Richtung des Waldes aus dem Noxun geflohen war. Spielte das Schicksal ihm einen Streich oder verhalf es ihm ein weiteres Mal? Keiner hätte ahnen können, was der Mann vorhatte und wer er war, und außerdem befand sich niemand freiwillig auf dieser Seite des Flusses, geschweige denn, dass dort überhaupt jemand lebte.

Bis zum Wald hin war das Gelände eben und ziemlich überschaubar, es sei denn, jemand würde sich hinter einem Baum verstecken und lauern, diese wuchsen zwar nicht sehr dicht beieinander, boten aber dennoch ein wenig Schutz und Deckung. Ein zarter Wind brachte die Grashalme, welche bis zu seinen Knien gingen, zum Rascheln. Die mysteriöse Person und Noxun waren an der westlichen Seite des Waldes, noch weiter westlich lag das Meer. Der Mann, mit dem Schwarzen Wolf auf dem Rücken, blieb unvermittelt stehen; vor ihm befand sich eine kleine Holzhütte. Mit einer Hand öffnete er die Tür, welche ein quietschendes Geräusch von sich gab. Innen war sie nicht besonders groß und beheimatete nur ein Holzsprossenfenster, ein Bett und so etwas wie einen Schrank. In der Mitte des Raumes befanden sich ein kleiner Stuhl und ein Tisch, auf der eine kleine Kerze brannte. Sie erhellte den gesamten Raum und tauchte ihn in ein tiefes Rot. Die Decke hatte eine dunkelgrüne Farbe, die blutbefleckt war, da er Noxun ganz sachte auf das Bett gelegt hatte, sodass er die Wunde am Rücken behandeln konnte. Sein Schwert, das an seinem Gurt befestigt war, löste er und legte es zur Seite. Ganz langsam strich er mit seinen Händen über die Wunde und sprach mit gesenkter Stimme: »Dies ist keine Verletzung, die von einem Bären oder einem anderen Tier stammt. Er wurde von einer Klinge verletzt, von einem Dolch, um genau zu sein«, er inspizierte die Wunde genauer, offenbar war er kundig, was solche Verletzungen betraf. »Seine Wunde am Kopf ist glücklicherweise nicht so tief.«

In Gedanken versunken dachte er weiter nach, ehe er weitersprach: »Der Gewissensfluss war ruhig, als ich ihn rausgefischt habe. Es kann nicht sein, dass er sich seine Verletzungen dort zugezogen hat.« Er grübelte eine Weile nach und sprach dann weiter, so als ob ihm jemand dabei zuhören würde. »Er muss sich zuvor diese Verletzung am Rücken zugezogen haben, bei einem Kampf oder ähnlichem und dann ist er in den Schlangenrücken gefallen, wo er sich die Kopfverletzung zugezogen hat. Sehr unwahrscheinlich, aber anders kann ich es mir nicht erklären, ich muss ihn fragen, sobald er wieder bei Bewusstsein ist.«

Er stand auf und ging vor die Türe. Dort hing, an der Wand rechts von der Türe, an einem Nagel befestigt, ein Sack voller Kräuter. Er hing ihn ab und kam mit dem raschelnden Sack in der Hand wieder in sein Zimmer.

»Ich denke, eine Prohibeere wäre jetzt genau das Richtige, um die Blutung zu stoppen.«

Blut tropfte bereits auf die Holzbalken, die den Boden bildeten.

»Er hat schon viel zu viel Blut verloren«, sagte er während er im Sack wühlte und schon bald fündig wurde.

»Da haben wir es.«

Nachdem er die Kräuter in seinem Mund zerkaute, verteilte er sie auf die Wunde und die Blutung stoppte jäh.

»Jetzt braucht der junge Mann nur noch etwas Ruhe und schon bald wird er wieder zu Kräften kommen.«

Als er diese Worte sagte und ihn sachte auf seinen Rücken legen wollte, bemerkte er den Schlüssel. Ein seltsames Gefühl überkam ihn, warum wusste er selbst nicht. Der Schlüssel war schwarz, schimmerte aber seltsamerweise golden, als das Kerzenlicht draufschien und den Raum mitsamt seinem Gesicht goldig schimmern ließ.

»Merkwürdig, der Schlüssel zu einem Schatz? Oder der Schlüssel seiner Haustüre? Nein, dieser Schlüssel strahlt etwas Eigenartiges aus. Was es ist, kann ich nicht sagen, aber es ist kein gewöhnlicher Schlüssel.«

Seine Worte wurden von einem Geräusch, das wie das Rascheln der Büsche klang, unterbrochen.

»Morgen gibt es Kaninchen zum Frühstück«, sagte er und trat bis zur Türschwelle. Nun schloss er seine Augen und horchte in die Nacht. Nach einer Weile fing er an, jedes noch so kleine Geraschel war zunehmen. Das Zirpen der Grillen und den Flügelschlag der Vögel, all das hörte er. Seine Hand glitt langsam zu seinem Gurt hinab, woran ein Wurfmesser befestigt war. Langsam umkreiste sein Finger den Griff, dabei hielt er seine Augen immer noch fest verschlossen und für einen Moment schien alles stillzustehen. Blitzschnell zückte er das Messer und im selben Moment warf er es in Richtung der Büsche, welche gut fünfzig Schritte entfernt waren. Das Tier hatte keine Chance zu reagieren und Blut tröpfelte aus der klaffenden Wunde, welches das Messer hinterließ. Nach einiger Zeit kam er mit dem Kaninchen in der Hand zurück zur Hütte, nahm die Innereien raus, häutete es und setzte sich auf einen knarrenden Holzstuhl, welcher unter einer Überdachung neben seiner Hütte stand. Irgendwann schloss er im hellen Mondlicht die Augen und schlief ein.

Als Noxun am nächsten Morgen seine Augen öffnete, sah er zunächst noch alles verschwommen und schien ein wenig benommen zu sein. Bei dem Versuch aufzustehen, schmerzte seine Wunde, die er offensichtlich vergessen hatte. Er ließ einen Schmerzensschrei los und in diesem Moment ging die Türe auf.

»Zu früh, um aufzustehen«, sagte der Mann und trat ein.

Zuerst konnte Noxun ihn nicht erkennen, weil die Sonne, die durch den Türspalt hineinschien, ihn blendete. Es dauerte einige Zeit bis sich seine Augen daran gewöhnen konnten und er ihn wahrnahm.

Ein großer Mann, um die vierzig, mit schulterlangen Haaren und glänzenden schwarzen Augen, stand vor ihm. Er trug ein schwarzes Lederwams mit silbernen Fäden am Saum.

»Wer … wer bist du und wo bin ich?«, stammelte der Schwarze Wolf.

»Ich war mal jemand, und bin jetzt niemand, aber du kannst mich Emren nennen und wie lautet dein Name?«

Unser Retter hatte nun einen Namen. Noch ehe Noxun antworten konnte, fuhr er fort.

»Du bist westlich am Eingang zum Wald des Todes. Aber bevor wir weiterreden, iss etwas und komm zu Kräften.«

Er hatte einen Topf in der Hand mit einer dunklen Brühe, die nicht sehr appetitlich aussah, diesen gab er Noxun.

»Kanincheneintopf, mehr kann ich dir leider nicht anbieten«, gab er mit Bedauern zu.

»Danke, mein Name ist übrigens Noxun. Ich verdanke dir wahrscheinlich mein Leben. Dafür werde ich dir auf ewig verbunden sein!«

Gierig löffelte er ein paar Mal und zu seiner Überraschung mundete es vorzüglich.

Emren setzte sich auf einen Stuhl, welcher ziemlich nah am Eingang stand und schaute zu, wie Noxun aß. Nachdem Noxun zu Ende gegessen hatte, bedankte er sich und stellte den Topf neben sein Bett.

»Zuallererst möchte ich wissen, was du hier suchst. Kein Mensch, außer er ist ein Irrer, kommt freiwillig auch nur in die Nähe dieses Waldes.«

»Ich habe mich verlaufen und wurde von einem Bären angegriffen«, sagte Noxun und versuchte dabei keine Miene zu verziehen, um die Lüge nicht auffliegen zu lassen. Das Letzte was er wollte, war das preiszugeben, weswegen er wirklich da war.

»Ich bin kein Kleinkind, das du hinters Licht führen kannst. Ich weiß sehr wohl, dass dir diese Wunde von einem Menschen zugefügt wurde. Durch einen Dolch, um genau zu sein«, seine Stimme war immer noch gelassen und er klang auch nicht gereizt.

Noxun erstarrte für eine Zeit.

»Wer war dieser seltsame Mann, der über alles Bescheid wusste«, dachte er sich.

»Und anschließend bist du den Schlangenrücken runtergetrieben, hast dir unterwegs deinen Kopf angestoßen und bist scheinbar ohnmächtig geworden«, fuhr Emren ungeachtet dessen fort.

»Hast du mich verfolgt?«, fragte Noxun, der nun sichtlich nervös wurde.

»Nein, oder gibt es etwa einen Grund, dich zu verfolgen?«

Noxun schien immer weiter in die Enge getrieben zu werden und wusste nicht, wie er sich helfen sollte.

»Lass mich raten, es hat etwas mit diesem Schlüssel, welcher um deinen Hals hängt, zu tun«, hakte Emren nach.

»Was? Nein! Das ist nur ein gewöhnlicher Schlüssel«, erwiderte Noxun etwas aus der Fassung.

»Gewöhnlich ist nichts auf dieser Welt, aber du umklammerst deinen Schlüssel so fest, dass es etwas damit auf sich haben muss.« Vor lauter Aufregung und Ungewissheit umklammerte Noxun seinen Schlüssel, ohne es zu bemerken. Dies entging Emren nicht. Er war sehr scharfsinnig und hatte eine geschickte Zunge. Noxun wollte das Gespräch in eine andere Richtung lenken und so sagte er: »Du hast recht, es war ein Dolch, doch Unrecht hast du ebenfalls.«

»Unrecht, womit?«, fragte Emren, der nun nicht weiter nach dem Schlüssel fragte.

»Es war kein Mensch, der mir diese Wunde zugefügt hat, sondern …«, er stoppte abrupt.

»Sondern was?«, erkundigte sich Emren, der nun seine Stimme ein bisschen anhob und aufgeregter wurde.

»Ein Elekude.«

Beide starrten sich für eine gefühlte Ewigkeit in die Augen, bis Emren wie wild seinen Kopf schüttelte und voller Argwohn sagte: »Die Wunde an deinem Kopf muss dich verrückt gemacht haben oder du lügst mich an.«

»Du sagtest doch eben selbst, dass nichts auf der Welt gewöhnlich ist. Was mich aber noch mehr wundert ist die Tatsache, dass du in unmittelbarer Nähe des Waldes lebst, aber dennoch keinem begegnet bist.«

»Ich habe den Wald nie betreten, ich bin nicht lebensmüde. Ich lebe zwischen dem Wald und dem Fluss, weil ich allein sein möchte. Hier ist für gewöhnlich niemand, außer Tiere. Noch nie habe ich in all den Jahren einen Menschen auf dieser Seite des Flusses gesehen. Aber ich höre manchmal Stimmen aus dem Wald, manchmal Schreie, manchmal das Weinen eines Neugeborenen, manchmal Wehklagen, aber manchmal höre ich auch nichts«, sagte Emren in einem Flüsterton.

»Du lebst hier ganz allein?«, fragte Noxun verwundert nach, »hast du denn keine Familie?«, fügte er nach einem Stirnrunzeln hinzu.

»Ich hatte eine Familie«, ein wehleidiger Ausdruck huschte dabei über Emrens Gesicht.

Dies entging Noxun nicht.

»Das tut mir leid, ich wollte keine Wunde öffnen oder sie noch stärker spalten«, entschuldigte sich Noxun demütig. Emren, der nun keine weiteren Fragen stellte, blieb eine Weile sitzen, ohne sich zu regen. Tief in seinen Gedanken verloren, starrte er in die Leere. Wahrscheinlich dachte er an seine Familie, an die Zeiten, an denen alle noch am Leben waren. Oder aber auch an jenen Tag, an dem sie es aushauchten. Sein Blick in diesem Zustand, konnte auf beides hindeuten. Er stand unvermittelt auf und ging bis zur Türschwelle. Draußen schien die Sonne. Es war ein heißer Morgen. Bechermalven blühten in voller Tracht auf der weiten Wiese und verbreiteten einen süßlichen Geruch. Ein anderer Geruch fügte sich dem hinzu, diesen hatte Noxun zuvor nicht vernommen und konnte ihn auch nicht zuordnen. Es war der Duft, den der Wind aus dem Wald La-Hul hertrug. »Genau so schön wie diese Blumen war einst mein Leben. Die Stimmen meiner Kinder waren so klangvoll wie das Zwitschern der Vögel. Meine Frau war wunderschön wie die Sonne, die während sie untergeht, ihre letzten Strahlen auf das Meer wirft und es in ein tiefes Rot hüllt«, dann atmete Emren einmal tief durch und sang:

> *»Unter der Sonne ist es warm,*
> *ohne dich verfiel ich dem Wahn.*
> *Donner und Blitz brachen über mein Gemüt,*
> *Hass und Zorn, das nun in mir glüht,*
> *so komme doch, meine Liebste, halte meine Hand,*
> *wärme mich wie die Sonne, doch vergebens,*
> *denn alles steckte in Brand«*

Nach diesem kurzen Lied begab sich Emren ins Freie.

Noxun, der nun auch betrübt war, sehnte sich auch nach einer Person, die er liebte. Er sehnte sich nach ihren Händen, die ihn sanft berührten, ihrem Duft, der ihn verführte, ihren langen Haaren, so schwarz und finster wie die Nacht, ihrem Gesicht, schön und hell leuchtend wie der Mond, wenn sie ihn anlachte.

»Ist es das wert? Ist es das wert, nur wegen dieses Schlüssels die Welt ins Verderben zu stürzen? Bis ich erfuhr, dass ich der Thronfolger bin, war meine Welt in Ordnung, obwohl sie aus Intrigen und Lügen bestand. Und dann plötzlich, ohne Vorwarnung, stürzt alles in sich zusammen. Wie seltsam doch das Schicksal ist, gestern noch bist du glücklich und heute ein verlorener Mann. Ich verstehe Emren, seine Wut, seine Trauer, auch wenn ich keine Kinder habe, so kann ich ein Stück weit seinen Schmerz nachempfinden. Ich denke nicht, dass man etwas Verlorenes ersetzen kann. Menschen, die so etwas nicht erlebt haben, können das nicht nachempfinden. Aber die Dunkelheit umhüllt einen, sie raubt einem das Licht und es ist keiner da, um das Feuer wieder zu entzünden. Denn wenn die Geliebten einmal fort sind, ist nichts mehr da, außer die Leere. Die Leere, in der man versinkt, aus der es keinen Ausweg gibt. In einem Labyrinth aus Verzweiflung, die Wände aus den Bildern derer, die einem etwas bedeuteten. Es gibt keinen Ausweg, kein Licht, das dir den Weg weist, denn alle Lichter sind erloschen«, dachte er tief in sich hinein.

»Alles nur wegen dieses verdammten Schlüssels!«, erzürnte er kurz danach.

Gerade als er den Schlüssel von seinem Hals reißen wollte, stoppte er. Er schrie laut auf, sodass Emren, der draußen war, sofort aufhorchte und hineingerannt kam. Der Schwarze Wolf schrie so laut, dass die Tiere in der Umgebung die Flucht ergriffen.

»Was geht hier vor sich?«, fragte Emren verdutzt nach.

Noxuns Augen sahen nicht mehr in diese Welt. Für einen Augenblick sah er eine Vision. Etwas, das geschehen könnte, aber nicht geschehen muss. Er sah ein Dorf, welches verwüstet war, brennende Häuser, verstümmelte Leichen, Menschen, denen Gliedmaßen fehlten und die versuchten, vergeblich zu fliehen, Kinder, die weinten, um die sich aber keiner kümmerte. Er wusste nicht, um welches Dorf es sich genau handelte, dies war auch nicht von Belang. Dieser Anblick von toten Menschen und Menschen, die dem Tode nahestanden, hatte ihm gegenwärtig das Fürchten gelehrt.

Er saß nun aufgerichtet auf seinem Bett und schaute völlig verwirrt in die Leere. Das Wetter hatte sich schlagartig geändert. Regen viel nun hinab und es schien, als ob das Prasseln auf den Blättern der Bäume eine melancholische Melodie erzeugen würde. Der Himmel war von Gewitterwolken bedeckt. Die Sonne, die eben noch ihre Strahlen von unendlicher Entfernung auf die Erde schickte, erreichte diese nun nicht mehr. Die Stimmung wurde immer bedrückender, ein

Hauch von Schwermut und Hoffnungslosigkeit lag in der Luft.

Emren, der vermutete, dass Noxun etwas gesehen haben musste, fragte vorsichtig nach: »Was hast du gesehen?«

Mit in Tränen ertrinkenden Augen wandte sich Noxun an ihn.

»Tod, Tod und Verderben habe ich gesehen. Aber in einer anderen Gestalt als die, die uns bekannt ist. Eine finstere Stimme, die so tief war wie die Höhlen Garangas, hat gelacht, während ich verängstigt war. Ich war machtlos, Menschen fielen und ich konnte keinen einzigen beschützen. Ich konnte nicht einschreiten, obwohl ich dort war. Häuser haben gebrannt, Menschen haben geschrien … Emren, aus Angst, so laut, dass ich es immer noch in meinen Ohren wiederhallen höre«, sie schauten einander tief in die Augen.

»Ich sah ein kleines Mädchen und einen Jungen, ihre Eltern wahrscheinlich tot. Sie hielten sich gegenseitig die Hände, inmitten des Trubels. Sie haben vor Angst gezittert und geweint, aber sie hielten trotzdem einander die Hände, keiner beachtete sie. Es war ein heilloses Durcheinander.«

»Wer oder was hat sie angegriffen?«, unterbrach ihn Emren aufgeregt.

Nun sah man die Furcht in Noxuns Augen. Er zuckte zusammen, beugte sich nach vorne und stützte seinen Kopf mit den Händen. Danach richtete er sich wieder auf und holte tief Luft.

»Schwarze Gestalten, schwarze Schleier, ich konnte sie nicht genau erkennen. Meine Augen sahen unscharf, sobald ich sie betrachten wollte.«

Emren wurde sehr nachdenklich und suchte nach einem Zusammenhang, er konnte sich das Geschehene aber nicht erklären.

»Noxun, seitdem du hier bist, sprichst du von seltsamen Dingen. Erst die Elekuden und jetzt diese Vision, und wessen Stimme war es, die so finster gelacht hat?«

Diese Frage blieb zunächst unbeantwortet.

Sie saßen eine ganze Weile still und leise da, ohne ein Wort zu tauschen oder sich zu bewegen. Der Regen wurde stärker, sodass nun die stumpfen Geräusche des Holzes, aus dem das Dach bestand, zu hören waren. Immer wieder ließ Emren seinen Blick durch das Zimmer schweifen, in der Hoffnung, aus dem Nichts eine Antwort zu erhalten, er wurde immer nachdenklicher, während Noxun wie ein gebrochener, alter Mann dasaß und keine Miene verzog. Plötzlich ballte Emren seine Hände zu einer Faust und sein Blick blieb an etwas ganz Bestimmten hängen, etwas, das sich zu jeder Zeit im Raum befand und da hing wie ein loses Blatt, das jeden Moment von den Bäumen fallen wird.

»Dein Schlüssel ist kein gewöhnlicher Schlüssel, oder?«

Die Okkultisten

Weit vor Noxuns Geburt spielte sich eine finstere Zeit in der Welt ab. Eine Zeit, in der jene ihr Leben bereitwillig, wenn auch zu einem gewissen Maße unwissentlich, verwirkten. Sie wurden dadurch zu den finstersten aller Kreaturen und nur der Unterweltherrscher selbst war ihnen überlegen.

Diese Geschehnisse, die mit den Okkultisten zu tun haben, spielten sich 320 Jahre vor Noxuns Geburt ab. Wie so oft waren es viele kleine Ereignisse, die zu einem großen führten und deshalb waren die damaligen Geschehnisse vielleicht sogar die Quintessenz von alledem, was danach kam. Zu dieser Zeit hatte das Königreich Nefalurin keine Mauern, geschweige denn so etwas wie eine Hauptstadt. Der König, der zu dieser Zeit herrschte, lebte in seiner Residenz im Nordosten. Hunger und Durst plagten die Bewohner des Königreiches und wie so oft entstand dadurch Unmut. Vielleicht wurden die Samen der Intrigen schon zu dieser Zeit gesät.

Der König, ein etwas zu gutmütiger naiver Mann, bekam von alledem nichts mit. Dem Volke blind vertrauend, ging er wie jeder andere Einwohner einkaufen auf dem Marktplatz und Holz fällen im Walde. Dies hätte ihm zu einer anderen Zeit Bewunderung und Hochachtung eingebracht, nicht aber, wenn alle hungerten. Es waren jene Zeiten, die böse Menschen nutzten, um Gegensätze aufzuzeigen, jene Zeiten, an denen dein Nachbar zu deinem Henker wurde. Heute noch mögest du Seite an Seite mit einem Mann, der andere Männer liebt, gelebt haben, morgen schon wird er aber ein Sündenbock sein. Schuldig gesprochen für alles, was passiert, für deinen und seinen Unmut.

Doch noch bevor all dies geschah, spielten sich zu jener Zeit besondere Ereignisse ab, weit im Westen des Landes, in einem großen Dorf namens Linhof.

Das Dorf war schon fast zu groß, um es als solches zu bezeichnen. Viele Wanderer verkehrten hier und rasteten in den Gasthäusern. Es gab auch viele Schreiner, Steinmetze, Schmiede und Bauern. Das Dorf Linhof grenzte an die Berge der Erkenntnis, welche besonders beliebt bei Abenteurern und Wanderern waren. Es waren zwei Berge, die in kurzer Entfernung zueinanderstanden und wer zwischen ihnen gen Westen gehen würde, wäre nach kurzer Zeit am Fluss des Gewissens, welcher an die Berge grenzte.

Einer Sage nach gab es einmal zwei Brüder, die ihre besten Jahre bereits hinter sich hatten, alt und grau waren nun ihre Haare, faltig und furchig ihre Haut. Krankheiten plagten die Brüder, Krankheiten, die ihnen ein jähes Ende bereiten sollten, doch ihr Wille zum Leben war stärker. Fast schon wie Kinder alberten sie trotz ihres hohen Alters herum und machten viele Späße. Sie spielten auch oft mit den Kindern, wenn sie von Dorf zu Dorf zogen und dabei immer lächelnde Gesichter hinterließen. Angekommen in Linhof bedrängte sie das eigenartige Gefühl, weiter ziehen zu müssen. Schon damals mied man den Fluss des Gewissens, der an den Wald des Todes grenzte.

Zu dieser Zeit war die Angst noch größer, deshalb näherte sich auch niemand den Bergen oder wagte es, sich in unmittelbarer Nähe aufzuhalten. Die Geschichte der Greise und ihren Albernheiten, noch heute erzählen Eltern ihren Kindern davon. Diese Geschichte ist zu lang, um ausführlich darüber zu berichten. An anderer Stelle wird sie ihren rechtmäßigen Platz einnehmen. Was aber passierte, nachdem sie die Berge erklommen hatten, sorgte für erstaunte Gesichter. Ihr Alter blieb, dies war eine unabdingbare Bedingung allen Lebens, jedoch waren sie befreit von allerlei Krankheit, die sie plagten und konnten nun ihren letzten Jahren mit einem Lächeln entgegentreten. Was bis dahin und darüber hinaus niemand wusste, war, dass der Wind, der nach Osten wehte, die Luft aus dem Wald La-Hul mitbrachte. Dieses Phänomen veranlasste die Menschen später dazu, einen der beiden Gipfel zu erklimmen und die frische Brise einzuatmen. Den Weg durch die Mitte, in Richtung des Flusses, wo sich auch eine Furt befand, nahmen daher nur sehr wenige, und diejenigen, die ihn nahmen, kehrten nicht wieder. Schnell verbreitete sich die gute Kunde und so kam es, dass viele Wanderer und Reisende hierher pilgerten, um Krankheiten loszuwerden. Man sagte sogar, dass manch einer versuchte, die Luft in Phiolen aufzubewahren, um sie dann für sehr viel Gold zu verkaufen.

Die Saat der Unendlichkeit?

In der Nacht kamen sie angeritten. Es war eine regnerische Nacht und die Straßen waren leer, als Drank, Frank und Olaf in Linhof angekommen waren. Das Wasser plätscherte an ihren Umhängen hinab auf die matschige Straße, ihre müden Pferde wieherten und fauchten laut durch den Wind. Sie waren erschöpft und ihnen war kalt. In diesem kleinen Dorf brannten in jener Nacht viele Lichter in den Fenstern und zwischen den Türspalten.

»Lasst uns in einem der vielen Gasthäuser hier rasten«, sagte Olaf.

»In einem ist gut! Aber in welchem genau?«, erwiderte der griesgrämige Frank, der nahezu immer schlechte Laune hatte.

»Dort, das sieht doch einladend aus und hat einen kleinen Hof mit einer Überdachung. Wir könnten unsere Pferde an die Pfähle binden«, sagte Drank, während er mit dem Finger in Richtung des Gasthauses zeigte.

»*Gasthaus zum schwarzen Kater*, welch ein seltsamer Name«, las Frank den Namen mit argwöhnischer Miene vor.

»Nun hab dich nicht immer so, du Dickschädel«, rief ihm Olaf zu.

»Man sagt schwarzen Katern nichts Gutes nach und nachts möchte ich ihnen nicht in die Augen blicken müssen«, schauderte es Frank bei dem Gedanken daran.

»Also ich bin noch nie einem begegnet, der nachts in die Augen eines schwarzen Katers geblickt hat und dem danach irgendetwas geschehen ist«, sagte Olaf.

»Du Narr, warum wohl nicht? Weil ein schwarzer Kater ihnen begegnet ist und man deshalb nie wieder etwas von ihnen gehört hat. Ich sag's ja«, antwortete Frank ein wenig verärgert.

»Ihr könnt gerne weiter sinnlose Worte wechseln, ich gehe hinein, es sieht einladend aus«, mischte sich Drank ein und ritt währenddessen in die Richtung der Stube.

Im Hof angekommen banden sie ihre Pferde an die Pfähle und bemerkten erst jetzt den Lärm, der durch die Fenster dröhnte. Es roch außerdem nach Alkohol und verbranntem Essen. Nun zogen sie ihre Kapuzen hinunter und man sah ihre Gesichter, die zuvor verdeckt waren.

Frank war ein stattlicher Mann. Er hatte aschgraue Haare und einen wuscheligen Bart. Seine markanten Gesichtszüge waren vom Alter gezeichnet, aber dennoch war er flinker und stärker als so manch junger Mann im besten Alter.

Drank hatte kurze dunkle Haare und war der Jüngste von den drein. Jedoch war er für sein Alter sehr weise und besonnen. Er war ein Adept der dunklen Magie und Alchemie, was für so junge Menschen ungewöhnlich war.

Olafs Gesicht wies viele Narben auf, die er mit Stolz trug und sie als Schmuck ansah. Viele der Narben hatte er sich bei seinen Jagden in der Wildnis zugezogen. Für ihn waren sie auch Trophäen und zu jeder Gelegenheit brüstete er sich damit. Sein braunes Haar ging bis zu seiner Schulter und er band es gerne zu einem Zopf zusammen. Er war etwas jünger als Frank.

»Lasst nichts hier draußen und nehmt eure gesamte Ausrüstung mit. Drank, gib sehr viel Acht auf das, weswegen wir hier sind – niemand darf es zu Gesicht bekommen«, flüsterte ihm Olaf zu.

Drank antwortete nicht mit Worten, sondern nickte.

»Verhaltet euch so gewöhnlich wie irgend möglich. Sagt neugierigen, dass wir die Berge der Erkenntnis besteigen wollen, is´ nichts Ungewöhnliches hier. Viele kommen von weit her, um hier zu wandern«, belehrte sie Drank.

»Ist ja gut! Nun lasst uns reingehen, mir wird kalt und der Wind macht es nicht erträglicher«, schnauzte sie Frank an und stand schon vor dem Eingang des Gasthauses.

Er öffnete die hölzerne morsche Tür, die sehr viele Schrammen aufwies und ging hinein. Die anderen zwei standen dicht hinter ihm. Drinnen ging es heiter her, schallendes Gelächter hallte durch die Stube, hier und da fielen Bierkrüge um, ein Feuer brannte in einer kleinen mit Steinen gesäumten Mulde in der Mitte des Raumes und drum herum hielten hungrige Menschen ihre Würstchen ins Feuer und unterhielten sich dabei lautstark. Einige saßen auch nur da und waren nicht mehr ansprechbar oder lallten vor sich hin. Manche schliefen auf den Tischen oder darunter – es war das reinste Durcheinander.

Die drei Okkultisten standen angesichts dieser Situation wie angewurzelt da. Sie wussten nicht, wen sie ansprechen sollten, geschweige denn, wer der Wirt war. Urplötzlich stand vor ihnen ein alter kleiner Mann und schaute zu ihnen hinauf. Er hatte nur noch vereinzelt weiße Haare auf dem Kopf und sein Körper war leicht nach vorne geneigt, was einen Buckel auf seinem Rücken sichtbar machte. Sein Augenlid verdeckte zur Hälfte das eine Auge während das andere offen war.

»Waaaaaas wollt ihr?«, erkundigte sich der alte Mann mit finsterer Miene.

Es war seine Art, das erste Wort in die Länge zu ziehen und dabei betonte er es komisch, anfangs war er laut und gegen Ende hin verebbte seine Stimme. Die drei schauten sich fragend an, weil sie nicht wussten, ob dieser Kerl Ärger wollte oder einfach nur betrunken vor sich hin schwafelte.

»Wir hatten Ausschau nach einem Zimmer gehalten, edler Herr«, meldete sich Drank höflich zu Wort bevor es die anderen taten. Dies war auch besser so, Frank erzürnte schnell und verlor die Geduld, wohingegen Olaf meist vom Thema abschweifte und eine seiner Jagdgeschichten erzählte.

»Waaaas für ein Zimmer? Zimmer haben wir genug«, antwortete der kleine Mann neugierig.

»Das ist uns gleich, wir wollen nur eine Nacht bleiben und nach der Morgendämmerung aufbrechen.

Wir würden es auch begrüßen, wenn Sie sich um unsere Pferde kümmern würden. Wir haben viel Gold und werden Sie dafür angemessen entlohnen«, sagte Drank.

Plötzlich wurde der Gesichtsausdruck des alten Mannes noch ernster als zuvor, mit finstere Miene und tiefer Stimme sagte er Folgendes, ohne es komisch zu betonen:

»Natürlich haben wir ein Zimmer für euch. Ich bin übrigens der Wirt und mein Name ist Klaus.«

Sprachlos schauten die drei zum alten Mann, *»Welch ein komischer Kauz«,* war ihr gemeinsamer Gedanke. Klaus nahm wieder seinen eigenartigen Redenstil an und sagte:

»Uuuuum eure Pferde wird sich einer kümmern. Aber esst erst eine Kleinigkeit und trinkt. Jaaaa, trinkt, trinken ist wichtig.«

»Nein danke, wir sind satt und möchten nichts zu uns nehmen, außerdem sind wir erschöpft und möchten uns alsbald zur Ruhe legen«, sagte Drank.

Klaus schwieg einen Augenblick und beäugte die drei kritisch.

»Kooomische Kerle seid ihr.«

»Ich glaube, die einzig Normalen hier sind wir«, rutschte es Olaf raus.

Der Wirt warf ihm einen kritischen Blick zu, ehe er sich wieder zu Drank wandte.

»Es wäre besser, wenn wir jetzt nicht unnötig diskutieren. Meine Geduld ist bald am Ende. Lasst uns irgendwo Platz nehmen«, flüsterte Frank dem jungen Adepten ins Ohr.

»Du hast recht«, erwiderte Drank einwilligend.

»Nun gut, Klaus, wo dürfen wir Platz nehmen?«, fügte er hinzu.

»Neeeeehmt Platz, wo auch immer ihr möchtet«, lachte der exzentrische Wirt sie lauthals aus und begab sich hinter den Tresen. Frank ballte die Fäuste und sah ihm wütend hinterher. Er kam sich ein wenig veräppelt vor. Wie Falken, die hoch im Himmel Ausschau nach Beute halten, hielten die drei Ausschau nach freien Plätzen. Dies erwies sich als schwieriger als gedacht, denn im Durcheinander war nicht erkennbar, ob überhaupt Plätze frei waren. Der Rauch des Tabaks und die Rauchschwaden, die durch das offene Feuer erzeugt wurden, erschwerten die Suche.

Olaf, dessen Augen geschulter waren als gewöhnliche, bemerkte ein paar freie Plätze.

»Es sieht so aus, als ob nur dieser alte Mann dort sitzt«, machte er die zwei anderen darauf Aufmerksam und deutete in die Richtung.

»Ja, aber dieser Mann ist mir nicht ganz geheuer. Ich bekomme ein komisches Gefühl in der Magengegend, wenn ich ihn auch nur für einen Moment anschaue«, gab ihm Drank zu bedenken.

»Du also auch?«, begegnete Olaf.

»Was? Wovon redet ihr?«, fragte Frank neugierig.

»Dieser alte Mann da, im schwarzen Umhang, mit weißem Bart, langen zerzausten Haaren und einer Pfeife im Mund«, flüsterte Drank in Franks Ohr, obwohl sie in diesem Wirrwarr ohnehin niemand hätte hören können.

»Er sitzt da schon seitdem wir dieses Gasthaus betreten haben und starrt aus dem Fenster. Bisher hat er sich weder gerührt noch an seiner Pfeife gezogen. Ich hatte sofort ein mulmiges Gefühl«, fuhr er fort.

Die drei waren einer ganz bestimmten Sache auf der Spur. Ein Unterfangen, das strengster Geheimhaltung unterlag. Es war vielleicht Schicksal, vielleicht aber auch Zufall, dass genau jene Plätze neben diesem alten Mann leer waren und keine anderen. Sie mussten Platz nehmen, ansonsten wäre früher oder später der Wirt auf sie zugekommen und hätte nachgehakt, was das Problem sei.

»Na gut, setzen wir uns, aber benehmt euch normal und kein Wort darüber, weswegen wir hier sind. Wir essen und trinken, anschließend begeben wir uns in unsere Zimmer. Sobald der Wirt da ist, werde ich ihn darauf ansprechen«, schlug Drank vor.

Alle nickten einvernehmlich und gingen in Richtung des Tisches. Der alte Mann regte sich immer noch nicht und starrte aus dem offenen Fenster. Als die Okkultisten am Tisch ankamen, schauten sie sich noch einmal in die Augen und setzten sich anschließend. Sie blieben stumm. Plötzlich tauchte ein kleiner Junge an ihrem Tisch auf. Er war 14 und hatte blondes Haar, seine Wangen waren knallrot.

»Was darf's sein, die Herren?«, erkundigte er sich munter.

Die drei schauten sich verwundert an und fragten sich, woher der Jüngling kam, ehe Olaf antwortete.

»Euer bestes Bier!«

Er schien nicht mehr so angespannt zu sein oder wollte nicht den Anschein erwecken.

»Ach ja, und noch etwas zwischen die Zähne, am besten Wild«, fügte er mit seinem Zopf wedelnd hinzu.

»Natürlich, darf es sonst noch etwas sein?«

»Ach ja, unsere Pferde …«, setzte Drank an ehe der Junge ihn unterbrach.

»Keine Sorge, um die Pferde werde ich mich kümmern, ich weiß Bescheid. Und nachdem ihr fertig mit eurer Mahlzeit seid, werde ich euch auf eure Zimmer führen.«

Fast schon ein wenig fassungslos schauten sich Frank und Drank an, obwohl der Junge nichts Verwunderliches gesagt oder getan hatte. Ihre Nervosität jedoch verleitete sie dazu, alles und jeden zu verdächtigen. Olaf bestellte für seine zwei Freunde dasselbe wie für sich, da diese zu wortkarg waren, um es selbst zu tun. Der Junge nahm die Bestellung entgegen und verschwand.

»Was ist nur los mit euch zweien? Der Junge hat nichts Ungewöhnliches gesagt oder getan. Reißt euch ein wenig zusammen!«, zischte er sie an.

Obwohl es eigentlich Drank sein sollte, der Besonnenste unter ihnen, der sich normal und der Situation angemessen verhielt, war es Olaf, der die drei aus der Misere ritt.

Ein paar Minuten verstrichen und der alte Mann schaute immer noch wie versteinert aus dem Fenster. Der Tabak in der Pfeife glühte, obwohl er seit einiger Zeit nicht mehr daran gezogen hatte. Nach einer Weile kam der Jüngling zurück und servierte den dreien die Mahlzeit und verschwand auch gleich wieder. Sie aßen, tranken und plauderten ein bisschen. Olaf erzählte eine seiner Jagdgeschichten und dummerweise war es genau die, in der er das gefunden hatte, weswegen sie hier waren. Der Alkohol lockerte die Zungen und erheiterte die Gemüter. Aber so ausgelassen wären sie normalerweise nicht gewesen. Es war ein wenig seltsam. Auch schienen sie den alten Mann nicht mehr zu beachten. Olaf kam in seiner Geschichte an folgende Stelle:

»Der Bär, der nun durch einen Pfeil von mir verwundet um sein Leben rannte, war so gut wie tot. Ich wollte ihn so schnell wie möglich erlegen und seinen Kopf als Trophäe mitnehmen. Doch er erwies sich als zäher als gedacht. Zwölf weitere Pfeile waren nötig, um ihn endgültig zu Fall zu bringen. Nachdem sein lebloser Körper auf dem Boden zusammensackte, rannte ich zu ihm. Ehe ich mich versah, stolperte ich über ...«, er stoppte abrupt.

Denn dann kam diese eine Stelle in der Geschichte, die niemand hätte hören sollen. Alle drei waren sie auf einmal angespannt und schauten sich mit großen Augen an. Obwohl sie wussten, dass es diese eine Geschichte war, hatte niemand eingegriffen, als wären sie in einer Art Trance gewesen.

»Dann bist du über was gestolpert?«, ertönte eine Stimme.

Es war die des alten Mannes, der immer noch zum Fenster rausschaute. Den dreien wurde ganz anders zu mute. Erschrocken starrten Frank und Drank Olaf an.

»Ähm, einen Stein, ich bin über einen Stein gestolpert«, stammelte Olaf verwirrt.

»Einen Stein also«, wiederholte der Mann gelassen, als ob er noch mehr wusste als nur das, was ihm eben gesagt wurde.

»Ja, ich alter Tollpatsch«, entgegnete Olaf während er sich unbeholfen am Kopf kratzte.

»Du erlegst einen riesigen Bären, im Alleingang wohlgemerkt, mit Pfeil und Bogen. Normalerweise braucht man 20 Mann, um einen ausgewachsenen Bären hier in Nefalurin zu erlegen, und jetzt sagst du, du seist ein Tollpatsch und seist über einen Stein gestolpert«, der alte Mann drehte sich nun zu ihm.

Sein Gesicht war faltig, aber dennoch rein. Seine Augen hielt er verschlossen, denn das Licht in ihnen war vor langer Zeit erloschen.

»Was genau stört dich daran, alter Mann?«, mischte sich nun Drank ein.

»Wir sind nur drei Abenteurer, die die Berge der Erkenntnis erklimmen wollen, hier und da erzählen wir uns bei Gelegenheit ein paar nette Geschichten, die man nicht allzu ernst nehmen sollte«, ergänzte Frank.

»Wanderer also, Wanderer, die die Berge der Erkenntnis erklimmen wollen«, wiederholte der mysteriöse alte Mann das Gesagte ungläubig.

Er zog nun ein paar Mal an seiner Pfeife und sprach irgendwelche Worte vor sich hin, die keiner verstand.

»Wollt ihr erfahren, wieso ich mein Augenlicht verloren habe?«

Drank schüttelte verächtlich den Kopf.

»Nein, für deine Geschichten und Wehklagen haben wir weder Zeit noch Lust. Wir wollen alsbald in unsere Zimmer und uns ausruhen.«

Er wollte das Gespräch schnellstmöglich beenden, ein unbehagliches Gefühl trübte seine Stimmung. Dieser alte Mann, schien kein gewöhnlicher, alter Mann zu sein.

Schnaufend betrachtete sie der alte Mann, dabei fielen ihm ein paar seiner silbrigen Strähnen ins Gesicht.

»Ich weiß, warum ihr hier seid, ich sehe alles, obwohl ich eigentlich nicht sehen kann.«

Den dreien wurde ganz unbehaglich zumute. Woher sollte der alte Mann wissen, was sie vorhatten? Allesamt schauten sie sich fassungslos an. Hatte nur ein Moment der Unachtsamkeit diesem alten Mann dazu verholfen, zu erraten, was sie vorhaben? Das konnte nicht sein, kein anderer Mensch hätte daraus solche Schlüsse ziehen können.

Frank, der den alten Mann nun genau unter die Lupe nahm, erzürnte plötzlich. Er fühlte sich ein wenig verkohlt.

»Alter Mann! Tust du nur so, als seist du blind und spielst mit uns? Wer oder was bist du?«

»Ich sehe nicht mit meinen Augen, ich bin nur ein alter Mann, der seine Pfeife raucht. Na gut, ein alter Mann, der seine Pfeife raucht und reden möchte«, antwortete der alte Mann. Ihn schien der Wutausbruch etwas zu belustigen.

Auf Franks Stirn waren nun pulsierende Adern sichtbar, was kein gutes Zeichen war.

»Spiel keine Spielchen oder ich schneide dich in Stücke!«

Franks Hände glitten schon zu seinem Schwertheft, das er bereit war zu ziehen. Ehe er es mit seinen Fingern umschließen konnte, erstarrte er. Etwas ließ ihn seiner Hand nicht mehr Herr werden.

»Das würde ich an deiner Stelle sein lassen. Leg deine Hände auf den Tisch. Oder willst du einen blinden, alten, unbewaffneten Mann attackieren?«, gab ihm der ominöse Mann zu bedenken.

Drank blickte sich hastig in der Stube um, ob auch niemand was gesehen hatte und schlug dann leicht mit den Fäusten auf den Tisch.

»Dummer Narr! Beruhige dich. Willst du, dass wir auffliegen?«

Mit einer deeskalierenden Miene wandte er sich danach dem alten Mann zu.

»Greis, was willst du von uns? Gold, Wertstücke oder unsere Pferde? Möchtest du uns erpressen oder dergleichen?«

Fast schon wie eine Statue betrachtete der fragwürdige Mann Drank, bevor sich seine Mundwinkel zu einem Lächeln verzogen.

»Kein Gold der Welt kann das aufwiegen, was ich verloren habe. Ich möchte nur, dass ihr zuhört. Mehr habe ich nie verlangt.«

Nicht nur **ein** Geheimnis hütete dieser alte Mann, so viel war den dreien klar. Aber wieso hatte er sich ausgerechnet die drei Okkultisten zum Plaudern ausgesucht? Gewillt schauten sie ihm dabei zu, wie er genüsslich an seiner Pfeife zog. Die silbrig verzottelten Haare ließen ihn wie ein unheimliches Wesen wirken.

»Rede alter Mann, aber bevor du das tust, nenne deinen Namen. Wir möchten schließlich wissen, mit wem wir es zu tun haben«, sagte Drank, bevor er ihm weiter zuhören wollte.

Mit geschlossenen Augen antwortete er:

»Fulander ist mein Name, und wissen werdet ihr nach unserem Gespräch noch mehr als nur meinen Namen.«

Obwohl er nichts sehen konnte, schien es so, als würde er sie genau mustern. Das machte sie nervöser als sie es ohnehin schon waren.

»Du sprichst in Rätseln, alter Mann«, mischte sich nun Olaf ein.

»Alt, päähh«, er hustete Rauch aus, »Ein Menschenleben ist eher entschwunden, als dass es alt wird …

Alt sind die Berge,
das Wasser, die Meere,
reicht ein Menschenleben aus, um alles zu wissen?
Weise würden sagen: „mitnichten!"
Doch wie können wir alles sehen, bevor es geht zunichte?
Gar nicht, denn es gibt auch Blinde«,

sprach Fulander im belehrendem Ton, »und damit meine ich nicht nur diejenigen, denen das Augenlicht entschwunden ist«, fügte er nach einem Zug aus seiner Pfeife hinzu.

Olaf und Frank schienen nicht zu verstehen, was der alte Mann damit sagen wollte. Drank jedoch schaute nun nachdenklich in die Leere. Durch seine tiefen Augenringe wirkte er verzweifelt. Er war ein junger Adept und noch unerfahren in der dunklen Magie, aber er war scharfsinnig und so weise wie ein alter Mann. Zögernd kamen folgende Worte aus seinem Munde:

»Es gibt einen Weg länger zu leben, als es uns Menschen vergönnt ist.«

Olaf und Frank schauten erschüttert zu Drank. Schweißperlen zierten nun das vernarbte Gesicht von Olaf. Fulander hingegen lachte, zog an seiner Pfeife und blies drei Ringe in die Luft.

»Dachte ich auch und nun bin ich blind. Ich weiß auch, was ihr bei euch habt, ohne eigentlich wissen zu können, was ich weiß.«

Die Stimmung wurde immer zermürbender. Der Boden schien ein wenig zu beben. Die Gläser und das Geschirr bewegten sich von ihren Plätzen. Noch bemerkten die Gäste diese Veränderungen nicht. Die Kerzenlichter, die den Raum erhellten und in ein tiefes Rot hüllten, fingen an zu flackern. Der alte Mann zog nun noch ein letztes Mal an seiner Pfeife und legte sie auf den Tisch. Unheimlicher, als er ohnehin schon wirkte, erstarrte er ein weiteres Mal und blickte mit geschlossenen Augen die drei an. Mit lauter Stimme schrie er fast schon:

»Apyllon!«

Der Boden bebte nun gewaltig, nichts blieb mehr an seinem Platz. Die Gläser und das Besteck fielen durch die Erschütterung von den Tischen. Die Gäste horchten nun alle auf, als ob sie aus einem tiefen Traum entrissen wurden. Die Kerzen und das offene Feuer erloschen, der Raum wurde dunkel. Die Fenster schlugen, wie von Geisterhand bewegt, auf und zu. Klimpernde Geräusche ertönten von überall, erzeugt durch die Schwerter und Rüstungen, die zur Dekoration an den Wänden hingen und nun übereinander zu Boden fielen.

Nun schaute jeder im Raum verwirrt durch die Gegend, nichts wissend von dem, was geschah. Angst floss in den Raum. Angst in Form von tiefer Finsternis, noch dunkler als die Dunkelheit selbst, kein Licht erhellte mehr den Raum.

»Was ist hier los?«, schrie einer der Gäste ganz aufgebracht und ängstlich.

Ein anderer Gast fragte mit zitternder Stimme, ob es ein Erdbeben gewesen sei.

Stille. Niemand antwortete. Niemand konnte antworten. Niemand sah etwas. Allesamt lagen sie auf dem Boden, wehrlos wie Schafe, die geschlachtet werden, die Hände schützend auf ihren Köpfen, damit die herabfallenden Gegenstände sie nicht verletzten konnten.

Olaf, Drank, Frank und Fulander waren die einzigen, die noch auf ihren Plätzen saßen. Doch das konnte in der Dunkelheit keiner sehen. Immer mehr Geräusche von herabfallenden Gegenständen ertönten. Das Beben wurde stärker und erschütterte das Gebäude an seinen Grundfesten bis es plötzlich aufhörte.

Alles wurde still. Keiner rührte sich mehr oder konnte sich nicht mehr rühren.

»Karaduuuuur!« (Kommt!)

»Lakira Karaduuuuur!« (Kommt zu mir!), hallte die Finstere Stimme in der Stube wider.

Sie war so finster und boshaft, dass die Menschen wie gelähmt dalagen und sich nicht rühren konnten. Sie war so furchteinflößend, dass die Menschen versuchten aus Angst ihre Ohren zu zu halten.

Eine zermürbende Stille trat ein, keiner wusste so recht, was als Nächstes geschehen würde. Dieselbe Stimme durchbrach die Stille mit einem so finsteren Gelächter, dass die meisten im Raum anfingen zu weinen.

Die drei Okkultisten und Fulander regten sich immer noch nicht. Sie saßen still und leise da, in die Leere blickend. Die Stimme Apyllons hatte sie nicht gelähmt. Dies gelang der Stimme Apyllons nicht bei jedem, denn nur Menschen mit einem sehr starken Willen können sich der Macht der Stimme widersetzen. Langsam schien das Dunkel zu weichen und die Kerzen entzündeten sich wieder. Nun konnten sich die meisten Menschen im Raum wieder regen. Einige blieben für eine gewisse Zeit gelähmt. Andere wiederum fingen an, wirres Zeug zu reden, sie verloren ihren Verstand. Nur einer stand zwischen all den Leuten völlig unbeeindruckt von alldem, was geschah. Es war Klaus, der Wirt.

»Naaaa, alles noch dran?«, lachte er während er durch die Stube schaute.

Dieser Satz lies Fulander schmunzeln. Die drei Okkultisten schauten entgeistert zu Klaus. Diejenigen, die dazu im Stande waren, richteten sich auf und gingen hinaus, ohne auch nur ein Wort zu verlieren. In ihren Gesichtern stand das Schrecken.

»Iiiich erwarte euch wieder, hahahaha«, schrie der exzentrische Wirt lachend der Menge hinterher, »ummmm diejenigen, die sich nicht rühren können, kümmere ich mich«, raunte er, während er sich über die gelähmten Körper hinwegbewegte.

Franks weiße Haare wedelten wild hin und her, während er sich verbissen umschaute. »Was für eine dunkle Magie war das?«, kläffte er Fulander wütend an.

Fulander lachte laut auf.

»Der, den ihr sucht. Der, der euch findet, bevor euer Leben entschwindet.«

Olaf und sein allzu ungeduldiger Freund Frank tauschten fragende Blicke aus. Drank hingegen versank tief in Gedanken, er wirkte etwas aufgewühlt.

Fulander vernahm dies und nutzte es geschickt aus, langsam lehnte er sich über den Tisch hinweg zu ihm, die farblosen Haare ließen ihn unheimlicher denn je wirken. »Ihr seid doch auf der Suche nach ihm, stimmt's?«, wisperte er mit unheimlicher Stimme.

Im Kopf des jungen Adepten hallten diese zwei Wörter wider: *nach ihm, nach ihm, nach ihm.*

Olaf schubste den Tisch ein wenig ungeschickt nach vorn und richtete sich abrupt auf. Ganz aufgeregt legte er seine Hand auf die Schulter seines verwirrten

Freundes. »Drank, wir müssen hier sofort verschwinden. Jeder hat es gesehen, die Menschen werden von diesem seltsamen Vorfall berichten. Wir werden auffliegen.«

»Nein, das werden sie nicht, kein einziger, außer euch, Klaus und mir wird je davon berichten können«, mischte sich Fulander ein, der sich nun zu seiner vollen Größe aufrichtete. Eine hagere Gestalt, die unnatürlich groß neben jedem anderen wirkte.

»Und dass Klaus nicht ganz bei Trost ist und dadurch an Glaubwürdigkeit verliert, muss ich euch ja nicht sagen, aber das ist eine ganz andere Geschichte«, fügte er schelmisch grinsend hinzu.

In Dranks Kopf ging mehr vor, als er verarbeiten konnte, mehr, als er ertragen konnte. Schweißperlen rannen über seine Stirn.

»Alter Mann, kann es etwa sein, dass du …«, setzte er aus seiner geistigen Umnachtung erwacht an, bevor ihn Fulander unterbrach.

»Ja, ich habe ihn gesehen, vor langer, langer, sehr langer Zeit, und es war das Letzte, was ich sah. Ich sah wie er verbannt wurde, von Izagun dem Weisen, dem Obersten aller Elekuden, und ja, es gibt sie wirklich, die Elekuden. Mittlerweile ein sehr menschenscheues Volk.«

»Elekuden?«, horchte Frank fragend auf.

Mit ängstlicher Stimme fragte Olaf: »Wie alt bist du wirklich, alter Mann?«

»Ha, so etwas fragt man einen alten Mann nicht, aber ein paar Menschenleben habe ich schon hinter mir, so viel sei gesagt.«

Drank versank wieder in einen Zustand, in dem er das, was um ihn geschah, nur peripher wahrnahm.

»Die Elekuden … es gibt sie also wirklich, sie sind nicht nur ein Ammenmärchen.«

Frank schien dieser Fakt weniger zu interessieren, immer noch sah er sich nach den Menschen um, die auf dem Boden lagen. »Du hast all diese Menschen hier der Stimme geopfert, nur um uns einen Bruchteil seiner Macht zu demonstrieren?«, fragte er wütend nach.

»Ich, geopfert? Nein, ihr habt ihn hierhergebracht, und viel Schlimmeres wird geschehen, wenn ihr nicht ablasst, weswegen ihr hier seid. Sehr viel Schlimmeres«, antwortete Fulander mit einer Unschuldsmiene, die der eines Kindes glich.

Er ging in Richtung der Türe, die zum Ausgang führte, ehe er sich hastig umdrehte, als hätte er etwas sehr Wichtiges vergessen. »Trefft euch mit mir morgen bei Vollmond, am Weg des Beginnens. Ich habe einstweilen Wichtigeres zu erledigen und muss dringend los.«

Ehe er einen Fuß vor den anderen setzen konnte, ertönte Franks zornige Stimme:

»Halt mal, wohin gehst du? Und was hast du denn so Wichtiges zu erledigen?«

Wieder einmal breitete sich ein freches Grinsen im Gesicht des Alten aus. »Ich habe einen schwarzen Kater, den ich füttern muss. Willst du mitkommen?«

Der Aufbruch in die Ewigkeit

Die drei Okkultisten wurden durch das Zwitschern der Vögel geweckt, welche draußen ihre Sommerlieder sangen. Durch das Fenster schien die Sonne so hell und klar wie das Licht von Al-Mihar. Das Zimmer war nicht besonders groß und eigentlich für zwei Personen vorgesehen, deshalb schlief Drank, anders als Frank und Olaf, auf dem harten Boden.

Das Zimmer war nicht gerade üppig ausgestattet, es hatte nur das Nötigste an Möbeln, einen Tisch, einen Stuhl und zwei nicht sonderlich einladende Betten, deren Bezug vom Schmutz und ausgebliebenem Waschen gelblich wirkte. Olaf und Frank störten sich nicht daran. Die Holzbalken, die an den Wänden verliefen, waren mit Schnitzereien verziert. Wahrscheinlich von den Reisenden, die zuvor hier rasteten. Es waren aber nicht irgendwelche bedeutungslosen Symbole oder Worte.

Olaf und Frank hatten trotz des ungemütlichen Bettes einen tiefen Schlaf gehabt, anders als Drank, der kein Auge zugemacht hatte. Dies lag weniger an der Tatsache, dass er auf dem harten Boden schlafen musste, nein, denn während die zwei sich reckten und streckten, um die Gelenke zu lockern, starrte er indes etwas an. Das hatte er die ganze Nacht über getan und kein Auge zugemacht, dadurch hatten sich tiefe schwarze Augenringe um sein Auge gebildet.

»Das ewige Buch mit schwarzem Einband,
nimm an das Ewige und lass weg das Verwerfliche, ganz
ohne Einwand,
die Seiten sind leer und ohne Erfüllung,
denn sie warten noch, auf ihre Enthüllung,
ich schenke euch das ewige Leben,
der Pakt bedeutet, Geben und Nehmen,
werdet ihr ihm Leben einflößen?
Oder es euch entblößen?«,

murmelte Drank vor sich hin.

Das, was er in der Hand hielt, war das schwarze Buch Apyllons. Demjenigen, der diesem Buch, dessen Seiten leer waren, Leben einhauchen kann, wird im Gegenzug ewiges Leben versprochen. Keiner wusste, wie das Buch in Umlauf gekommen war. Überlieferungen zufolge hatten es schon einige Adepten der dunklen Magie und böse Hexer im Besitz gehabt. Keiner von ihnen konnte jedoch das Geheimnis um dieses Buch lüften. Sie waren sich auch nicht sicher, ob es überhaupt das Buch Apyllons war. Eins war jedoch gewiss, demjenigen, der dieses Buch besaß, ereilte ein plötzliches Ende. Ob es das Buch selbst war, das sie um ihren Verstand brachte, und sie somit in den Tod trieb oder andere Machenschaften dahintersteckten, war ungewiss. Seltsamerweise konnten nie Überreste oder ähnliches geborgen oder gar gefunden werden. Sie verschwanden. Für immer.

Es wurde immer wieder berichtet, dass das Buch kurze Zeit später dann wiederauftauche, um den nächsten in dessen Verderben zu stürzen. Nur dieses eine Gedicht, das über Generationen hinweg mündlich überliefert wurde, gab einen Hinweis auf die Lösung.

Das Gedicht der endenden Endlosigkeit, wurde es genannt. Nur Irre und Menschen, die Magie besaßen, rezitierten dieses Gedicht, jeder auf seine Art und Weise. Der Grund war, dass kein Mensch bei Verstand den Namen Apyllon und alles, was mit ihm zu tun hatte, auch nur hören wollte. Ganz zu schweigen davon, ihn selbst auszusprechen. Obwohl seine Existenz nie bewiesen wurde, hatten die Menschen Angst, wenn sein Name fiel, sie glaubten an ihn und an sein Reich, welches Xanadur genannt wurde. Manch einer hielt sich sogar die Ohren zu, wenn der Name fiel. Seit jeher wurde nur überliefert, Apyllon sei der Unterweltsherrscher und das personifizierte Böse und es hieß, umso mehr man sich mit ihm beschäftige, desto wahrscheinlicher wurde es, dass er wirklich auftauchte, in der Gestalt des gestaltlosen Bösen.

»Du hast doch nicht die ganze Nacht damit verbracht, dir den Kopf darüber zu zerbrechen?«, knurrte Frank, welcher noch nicht ganz bei Sinnen war und nur langsam in die Gänge kam.

Olaf war gerade dabei, seine Haare zu einem Zopf zu binden. »Das bringt nichts, niemand hat je das Geheimnis dieses Buches lüften können, wenn es denn eines gibt, ich bin euch beiden zuliebe mitgekommen. Ich habe nur wenig Hoffnung. Es ist vermutlich ein verhexter Gegenstand von irgendeinem Irren, der lange vor uns gelebt hat«, nun stand er auf und zog sich seinen Lederharnisch an, »aber ich denke, der alte

Mann von gestern, weiß mehr. Deshalb sollten wir uns mit ihm treffen. Der Weg des Beginnens liegt ohnehin auf unserem Weg zu dem Ort, wohin wir eigentlich hinwollen und dann werden wir erfahren, ob die Gerüchte wahr sind.«

Drank zögerte zunächst und konnte seinen Blick nur schwer vom Buch abwenden. »Du hast recht. Wir sollten uns langsam vorbereiten. Bis zum Weg des Beginnens ist es ein langer Marsch.«

Die drei packten ihre Sachen und gingen die Wendeltreppe hinunter. Sie befanden sich nun an jenem Ort, an dem eine Nacht zuvor das Schrecken stattgefunden hatte. Doch diesmal war es ruhig. Keine Bierkrüge, die umherflogen, kein offenes Feuer, an dem die Menschen grillten und keine Menschen, die im Rausch rumalberten. Es war ruhig. Alles befand sich an seinem ursprünglichen Platz. So, als ob nie etwas geschehen wäre.

»Naaaaa, wo wollt ihr denn hin, ohne ordentlich gefrühstückt zu haben?«, ertönte die schrille Stimme von Klaus, der hinter dem Tresen hervortrat.

Drank ergriff das Wort: »Wir danken dir für alles, doch möchten wir uns sogleich auf den Weg machen.«

Der launische Wirt beäugte die drei kritisch: »Schhooon in Ordnung, ihr seid immer so hastig. Waaaandernde soll man nicht aufhalten.«

Die Okkultisten waren gerade dabei zu gehen, als Frank sich eine Frage nicht verkneifen konnte.

»Klaus, jeder hier im Raum ist umgefallen, ausgenommen dir, dem alten Mann namens Fulander, der bei uns saß und uns. Dass der alte Mann nicht umgefallen ist, hat mich nicht gewundert, aber was ist mit dir? Was verbirgst du?«

Drank konnte seinen Ärger über diese überflüssige Frage nur schwer unterdrücken. Sie hätten einfach nur zahlen und gehen sollen. Der Wirt erstarrte. Das eine Auge von ihm war zur Hälfte geschlossen, das andere offen, und gerade als er seinen Mund öffnen wollte, um etwas zu sagen, unterbrach ihn Olaf. »Wie dem auch sei, wir danken dir für deine Gastfreundschaft. Ich denke, das sollte genügen«, und drückte ihm ein paar Goldmünzen in die Hand. Drank nickte und ging mit Olaf hinaus, nur Frank zögerte kurz, ehe er ohne ein Wort die Stube verließ und die Türe zuknallte. Klaus stand nun allein da, in der einen Hand die Goldmünzen, welche er nun fallen ließ und den Mund geöffnet, um etwas zu sagen, was keiner von den dreien hören konnte.

»Wwweil er es so wollte.«

Als die Pferde sahen, dass ihre Herren kamen, fingen sie laut an zu wiehern. Ihr Fell glänzte im Sonnenlicht und sie machten einen munteren Eindruck.

»Der Junge hat sein Wort gehalten«, sagte Frank während er sein Pferd streichelte. Wo dieser Junge seit letzter Nacht war, kam ihnen nicht in den Sinn.

Es waren sehr viele Menschen auf den Straßen unterwegs, ein reger Trubel herrschte, denn in Linhof war es üblich, tagsüber Stände aufzubauen und Handel zu betreiben. Das ganze Dorf war ein einziger

Marktplatz. An jeder Straße wurde gehandelt und verkauft. Schnitzereien, Ketten, Schmuck, Rüstungen, Waffen und Lebensmittel, es gab alles im Überfluss.

Mit ihren Pferden an der Leine schlenderten sie langsam durch das Getümmel. Sie wollten die Stadt am westlichen Ausgang verlassen, um an jenen Ort zu gelangen, den man den Weg des Beginnens nennt, der Pfad, der zwischen den Bergen der Erkenntnis hindurch zum Gewissensfluss führt. Ihr gemächlicher Gang wurde von einer alten Dame, mit schwarzen langen Haaren und vielen Falten, unterbrochen.

»Ihr habt einen langen Weg vor euch, kauft doch etwas Proviant für die Reise.«

Abrupt blieben die Okkultisten stehen und horchten auf.

»Woher wissen Sie das, alte Dame?«, fragte Frank argwöhnisch.

»Na, woher wohl? Ihr tragt Umhänge, habt Pferde bei euch und vollgepackte Rucksäcke. Außerdem sind wir hier in Linhof, hier ist jeder auf der Durchreise.«

Ihre zunehmende Nervosität trieb sie dazu, jeden zu verdächtigen, sie brachten alles mit der einen Sache in Verbindung, auch wenn dem nicht so war. Die Frau wollte einfach nur ihre Ware verkaufen, nichts weiter.

»Vielleicht endet unsere Reise ja hier, wer weiß«, wisperte Drank vor sich hin.

Seltsamerweise vernahm die alte Dame das Gesagte und fixierte Drank: »Ihr werdet sterben und dann wiedererwachen.«

Franks erschrockener Blick erzählte mehr als Worte es jemals tun könnten. Die alte Dame schaute ein wenig verwirrt drein. »Na, ihr seid hier an der Grenze zu den Bergen der Erkenntnis, und jeder, der diese Wanderung auf sich nimmt und zurückkommt, ist danach ein anderer Mensch. Ihr schaut so, als hättet ihr einen Geist gesehen.«

Drank schüttelte heftig seinen Kopf, als ob er einen bösen Gedanken schnell wieder austreiben wollte. »Entschuldige, gnädige Dame, wir haben nicht genug geschlafen und zu viel getrunken am Vorabend.«

Seine Kameraden schauten erleichtert zu ihm, als er die Situation wieder in den Griff bekam. Danach kauften sie einiges an Proviant und Trinkschläuche aus Leder, gefüllt mit Wasser. Als die Okkultisten sich am Ende verabschieden wollten, sagte die Dame noch etwas Seltsames. Gerade als sie mit ein paar Goldmünzen zahlen wollten, verweigerte die Verkäuferin die Annahme und sprach:

>*Gebt mir nur eure Silberlinge,*
behaltet die Goldlinge,
denn wenn ihr begegnet einem Toringer,
werft alles Gold von euch, und ziehet weiter,
er wird alles nachahmen, wie kein Zweiter,
wenn er kommt zu nah,
wird euer Ende wahr.«

Verdutzt zahlten sie mit Silberlingen und zogen weiter.

Das Wetter war schön und Kinder rannten spielend durch das Getümmel. Eine Menschenmenge drängelte sich durch das Durcheinander und von jeder Himmelsrichtung hörte man Verkäufer, die ihre Waren anpriesen. Einige Stände bestanden aus Sitzplätzen und Tischen, die sehr schön verziert waren. Andere wiederum hatten Kisten voller Waren, die sie zur Schau stellten. So einen Tumult hatten die drei noch nie erlebt, und es befremdete sie ein wenig, zumal sie in ruhigeren Gegenden lebten. Kurz bevor sie die Stadt verließen, drehten sie sich noch einmal um und atmeten tief ein, ehe sie auf die Pferde stiegen und losritten. Sie schenkten der Stadt hinter sich einen wehleidigen letzten Blick, so als ob sie ahnten, dass es kein Zurück mehr gibt. Der Eintritt in die ewige Dunkelheit oder der Aufbruch in die Ewigkeit, beides stimmte und genau das war der Tribut, den man bereit sein musste zu zahlen. Dies würden sie noch schmerzlich erfahren.

Bis zum Treffpunkt hatten sie es nicht weit, ein gemächlicher Tagesritt würde genügen, um rechtzeitig da zu sein. Bis zum Weg des Beginnens waren die Straßen mit Steinen gepflastert und es führte auch nur diese eine Straße zu ihrem Ziel. Der Weg verlief geradeaus und ohne große Abzweigungen durch einen Wald. Immer wieder sahen sie, wie seltsame Tiere zwischen den Büschen hin und her sprangen. Sie konnten nicht genau sagen, um was für Tiere es sich hierbei handelte. Umso näher man dem Wald La-Hul kam, umso seltsamer wurde alles. Tiere, die wie Eichhörnchen aussahen, jedoch viel größer und mit dichterem dunklem Fell, huschten von Ast zu Ast. Franks und Dranks ungeübte Augen konnten nur die Silhouette erblicken. Einzig und allein ein geübter Jäger, wie es Olaf war, konnte sie mit seinem scharfen Blick wahrnehmen.

Nach ein paar Stunden des Rittes stiegen sie von ihren Pferden ab, um zu rasten. Etwas weiter von der Straße weg bot sich eine Lichtung an, um Feuer zu machen. Olaf entzündete schnell ein Feuer und sie setzten sich auf die Felsen, die aus dem Boden ragten. Danach holten sie ihr Proviant aus den Taschen und begannen zu essen. Die Blätter der Bäume waren leicht rötlich und die Sonne, die gerade unterging, hüllte noch einmal alles in ein tiefes Rot. Frank, der gierig ein Stück von seiner Wurst abbiss und in der anderen Hand seinen Trinkschlauch hielt, lies plötzlich alles aus den Händen fallen.

»Was ist los? Stimmt etwas nicht?«, fragte Olaf verdutzt.

Der Jäger und Drank saßen gegenüber von ihrem Kameraden, deshalb sahen sie nicht, was er sah. Aus den Büschen trat eine seltsame Kreatur hervor.

»Beim Schatten des Ordens, was ist das?«, rief Frank entsetzt und stand auf, er zeigte mit dem Finger in die Richtung der Kreatur.

Nun drehten sich auch Drank und Olaf um und richteten sich dabei schnell auf, um angriffsbereit zu sein. Die Pferde schien das Ganze nicht zu interessieren, denn sie schlenderten weiter herum und rissen Gräser vom Boden. Vor ihnen stand nun dieses seltsame Wesen, so groß wie ein Mensch und sehr dürr, die Hände waren doppelt so groß wie die eines ausgewachsenen Mannes, die Augen waren so schwarz wie Pech, verborgen in ihren tiefen Augenhöhlen, vereinzelte weiße Haare gingen ihm bis zur Hüfte, die Ohren lang und spitz nach oben gerichtet, die glatte ledrige Haut aschgrau und leblos. Es schnarrte vor sich hin und gab danach keinen Ton mehr von sich. Seine unergründlichen Augen blickten die drei erschrockenen Abenteurer an, während er mit seinen knochigen Fingern in ihre Richtung zeigte.

»Drank, was für ein Wesen ist das?«, erkundigte sich Olaf mit zittriger Stimme.

Grübelnd trat Drank einen vorsichtigen Schritt näher. »Noch nie zuvor habe ich von so einem Wesen gehört, geschweige denn etwas Ähnliches gesehen.«

Frank senkte nun seinen Arm und die Kreatur tat es ihm gleich. Dabei schauten sie sich tief in die Augen und ließen keine Sekunde voneinander ab. Es war nun klar, auf wen es dieses Wesen abgesehen hatte. Mit waltender Vorsicht bewegte sich Frank zu seiner Ausrüstung, die sie zuvor abgelegt hatten, bis er jäh stehen blieb, denn die Kreatur tat es ihm gleich, wie sein Spiegelbild imitierte es jede noch so kleine Bewegung. Frank ließ sich nur kurz ablenken und ging dann mit langsamen Schrittes zu seinem Schwert, die Augen stets auf die Kreatur gerichtet. Die Kreatur stand in geringer Entfernung zu ihnen, bis es auf einmal ein paar Schritte näher trat. Frank, dessen Schwert nun in Griffweite war, beugte sich nach vorne, die Kreatur tat es ihm gleich. Die anderen zwei schauten nur verdutzt dabei zu. Noch ehe Frank das Schwert aus der Scheide ziehen konnte, schritt Drank ein.

»Halte ein! Sofort!«, schrie er.

Sein jähzorniger Gefährte erschrak und blickte zu ihm, die Kreatur tat es ihm gleich.

»Denkst du wirklich, dieses Wesen lässt sich so leicht abschlachten?«, gab Drank ihm zu bedenken.

Frank schüttelte heftig seinen Kopf und grinste nervös: »Ich denke, unsere Angst ist unbegründet. Welch ein armseliges Geschöpf, es kann nichts weiter, als mich zu imitieren wie ein Hofnarr.«

Drank wurde plötzlich wütend und fuhr ihn an: »Der einzige Narr hier bist du!«, schrie er ihn mit solch einer boshaften Stimme an, dass selbst Frank und Olaf es mit der Angst zu tun bekamen. Die Kreatur schaute ebenfalls ängstlich, aber nicht, weil es Angst hatte, sondern weil es Frank wie sein Spiegelbild imitierte. Auch wenn Frank sprach, öffnete es den Mund und bewegte die Lippen, jedoch ohne einen Ton dabei herauszubringen.

»Benutze einmal deinen Kopf, Frank, ansonsten wirst du ihn verlieren«, fügte Drank nach der eingetretenen Stille hinzu.

»Was meinst du damit?«, fragte Frank entgeistert.

»Die alte Frau, die uns Proviant verkauft hat, erinnerst du dich daran, was sie sagte?«

Frank dachte nach. »Ja, ich erinnere mich, aber was tut das zur Sache?«

Olaf schien sogleich zu verstehen und sprach aufgeregt:

»Gebt mir nur eure Silberlinge,
behaltet die Goldlinge,
denn wenn ihr begegnet einem Toringer,
werft alles Gold von euch und ziehet weiter,
er wird alles nachahmen, wie kein Zweiter.«

Der Adept nickte: »Ich hätte schon eher draufkommen sollen, dass sollte eine Art Warnung sein.«

Das Wesen trat wieder ein paar Schritte näher, machte aber keinerlei Versuch sie anzugreifen.

Frank verlor allmählich die Fassung und verstand immer noch nicht so recht, worauf sie hinauswollten.

»Dieses komische Wesen kommt immer näher. Sag mir, was ich tun soll verdammt!«

»Schon gut, ich weiß, wie wir diesen Toringer loswerden. Ich war nur zu verwirrt, um eher darauf zu kommen«, Drank versuchte gelassen zu wirken.

Langsam senkte Drank seinen Arm und griff in einen schwarzen Beutel, welcher an seinem Gürtel hing. Er nahm so viele Goldstücke in die Hand, wie er nur konnte und ballte sie dann zu einer Faust. Dann zog er seine Hand mit einem Schwung aus dem Beutel und warf die Goldstücke, welche wie Sterne im Nachthimmel funkelten, soweit er konnte. Der Toringer betrachtete das Ganze mit steigendem Interesse und das war das erste Mal, seitdem er aufgetaucht war, dass er etwas anderes getan hatte, als Frank zu imitieren. Seine Augenfarbe änderte sich mit einem Schlag und wechselte von Pechschwarz zu einer hellschimmernden goldenen Farbe. Der Toringer gab keinen Laut von sich und huschte den Münzen im Unterholz hinterher. Dort verschwand er und tauchte auch nicht wieder auf.

Erleichtert konnte sich Frank wieder rühren und schnappte sich sogleich sein Schwert, heftete es an seinen Rücken und band seinen schwarzen Umhang um seinen Hals.

»Ich hätte es auch mit ihm aufgenommen«, gab er beiläufig von sich.

Drank war gedanklich mit etwas anderem beschäftigt, als auf Franks Bemerkung einzugehen: »Von dieser Kreatur steht nichts im Buch der Okkultisten. Ich muss es ergänzen, sobald wir zurück im Orden sind.« Währenddessen war Olaf dabei das Feuer auszutreten.

»Olaf, musst du immer auf dem Feuer trampeln bis es nach einer Ewigkeit erlischt? Ginge es nicht schneller von statten, wenn du Wasser darüber schütten würdest?«, knurrte Frank ungeduldig.

»Oh nein, das habe ich bis heute nicht gemacht und werde es auch in Zukunft nicht tun. Ich bin nicht von Sinnen. Du weißt genau so gut wie ich, dass man dadurch böse Geister anlockt. Es ist das zischende Geräusch, das sie aggressiv macht«, wehrte sich Olaf.

»Du glaubst aber auch alles, was man dir verzählt, oder?«

»Da bin ich dir ja nicht unähnlich, *schwarzer Kater*.« Beide stierten sich ausdruckslos an, voller Erwartung, was der jeweils andere sagen würde. Doch keiner sagte etwas und so war es Frank, der ungeduldigere, der sich auf sein Pferd setzte. »Nun lasst uns gehen, wir haben mehr als genug Zeit verloren.«

Die Sonne, die eben noch ihre letzten Strahlen auf die Erde geschickt hatte, war nun untergegangen. Nur noch die Sterne erhellten ihren Weg. Es waren grüne, dunkelrote und violette Schleier zu sehen, die umher wogen, als würde sie der Wind wie einen Schweif mit sich ziehen. Schon eine ganze Weile lang hatte keiner mehr ein Wort gesprochen, etwas trübte die Stimmung. Ihr gemächlicher Ritt endete, als sie an eine Abzweigung kamen, welche zu einem Friedhof führte. Drank hielt an und die anderen nach ein paar Schritten auch. Um den Friedhof herum erstreckte sich eine kleine Mauer mit schwarzen Zäunen, geziert mit spitzzulaufenden, speerförmigen Enden. Ein trister Torbogen ohne Tor ragte vor ihren Füßen aus dem Boden.

»Wieso halten wir?«, erkundigte sich Frank.

Dranks Augen verengten sich zu Schlitzen: »Dies ist kein gewöhnlicher Friedhof«.

Schweigend schauten die anderen ihn an.

»Was genau meinst du damit?«, wollte Frank wissen.

»Seht ihr die aufgewühlte Erde ohne Grabsteine? Das sind namenlose … Der Friedhof der Namenlosen«, flüsterte er fast schon mit furchteinflößender Stimme.

Dranks Kameraden waren zwar auch im Orden, jedoch nicht so kundig wie er, was solche Dinge betraf. Ein wenig Wissen hatten sie aber auch angehäuft.

»Ich glaube, ich habe mal davon gehört. Es hieß immer nur, er sei nicht echt, da nur sehr wenige mit ihren eigenen Augen einen gesehen haben. Aber dass wir hier auf einem oft genutzten Wanderweg sowas entdecken, irritiert mich ein bisschen«, sagte Frank etwas besorgt.

Drank dachte ziemlich lange nach: »Vielleicht taucht der Friedhof immer an anderen Orten auf oder nicht jeder kann ihn sehen. Vielleicht wird er aber auch durch eine magische Barriere von neugierigen Blicken geschützt.«

»Nehmen wir an, du hast recht, warum ausgerechnet wir und warum ausgerechnet jetzt?«, gab Frank seine Gedanken preis.

»Was, wovon redet ihr? Kann mich einer aufklären?«, meldete sich Olaf zu Wort.

»Jene, die das Licht der Welt erblicken, werden wieder zu Licht, jene, die ihr Dasein im Schatten verbrachten, werden hier verweilen«,

rezitierte Drank die Verse, ohne zu wissen, dass sie von den Elekuden stammten, »damit sind nicht die Gräber hier gemeint, dieser Satz deutet auf etwas ganz anderes hin.«

»Der endlose Schatten Xanadurs«, flüsterte Frank ehrfürchtig.

»Jene, die in diesen Gräbern begraben liegen, sind Mörder, Schänder, Diebe, treulose Diener und jene, die grauenhafte Taten vollbracht haben. Sie wurden vergraben ohne Grabstein, ohne Segen und Lieder, die sie in das andere Reich führen«, Drank hielt kurz inne und schaute angsterfüllt in den Nachthimmel, »Nein, keine Lieder von Seelensängern … diese Seelen haben ihren Weg verloren.«

Der Jäger mit braunem Haar nickte ein bisschen ängstlich. »Jene Seelen, die ihren Weg nicht finden … allesamt enden sie also …«

Ruckartig wandte sich Drank ihm zu: »In Xanadur, mit ihrem Herrscher und Gebieter Apyllon, verdammt in den ewigen Schatten, kein Licht, kein Einlass in diese Welt. So sagt man, aber keiner weiß es sicher.«

Für wahr, sicher war nichts auf dieser Welt. Früher wussten die Menschen mehr als heute. Eigentlich sollte das Rad der Zeit mit jedem Fortschreiten mehr Fortschritt und Wissen mit sich bringen. Dies war nicht immer so. Die Menschen fingen an sich zu ändern und ihre Augen vom Wesentlichen abzuwenden. So kam es, dass sie nur vage Vermutungen über die Geschehnisse hatten, aber keinerlei handfeste Beweise. Irgendwann war es dann auch soweit, dass sie alles als Ammenmärchen bezeichneten, was ihre Vorfahren erfunden hatten. Die drei Okkultisten jedoch waren sich dessen nicht mehr so sicher, sie wussten, dass es mehr gab als das, was ihre Augen sahen. Sie blickten noch einige Minuten regungslos zum Friedhof, ehe sie ihren Ritt fortsetzten. Kurz danach legte sich ein Nebelschleier um den Friedhof und er verschwand, dies jedoch konnten die drei nicht mehr sehen. Welche Ironie des Schicksals: Sie fürchteten sich vor Apyllon, wie jeder andere Mensch, obwohl sie bis vor kurzem nicht einmal wussten, ob er real war oder nicht, und doch machten sie sich auf den Weg, um das Geheimnis um sein vermeintliches Buch zu lüften.

Mitglieder, die dem Orden des Schattens angehörten, waren keineswegs Anbeter Apyllons, wie es irrtümlicherweise immer von den unwissenden Menschen behauptet wurde. Sie lernten sich im Orden kennen, der weit im Osten des Reiches lag. Weit weg von den neugierigen Blicken der Bevölkerung, welche weder etwas über den Orden selbst, noch über ihre Mitglieder wusste. Denn tagsüber gingen die Ordensmitglieder ihren alltäglichen Geschäften nach. Sie waren Schreiner, Steinmetze, Jäger, Metzger, Bauern und Krieger, wie jeder andere auch. Die Menschen waren jedoch im Glauben, sie würden nur im Schatten und in der Dunkelheit leben und nur ihre äußere Hülle ähnle der eines Menschen. Tagsüber behielten sie ihre menschliche Form und nachts würden sie sich in monströse Gestalten verwandeln und Jagd auf Menschen machen. Doch dem war nicht so. Sie waren intelligente und hochbegabte Menschen, die den Orden erhielten. In ihrem Buch *Mortuus* stand viel über die Entstehung der Erde und die Wesen, die sie bevölkerten. Doch es war keineswegs vollendet. Niemals würde dieses Buch enden. Denn Wissen hatte keine Grenzen. Niemand wusste, wer einst die Feder schwang und die ersten Seiten beschrieb. Das Buch wurde über Generationen hinweg immer weitergegeben. Jeder leistete seinen Beitrag und somit wurde das Buch immer vollständiger. Das Ziel des Ordens war es, alle Geheimnisse, und seien sie noch so dunkel, zu lüften. Jedoch ist das Leben eines Menschen viel zu kurz, um alles zu wissen.

Es gab auch jene im Orden, die kundig waren in der dunklen Magie, wie sie genannt wurde, doch waren sie keineswegs böse Hexen, die Menschen schadeten. Magie war immer existent und allgegenwertig, nur blieb sie die meiste Zeit ungenutzt. Nur sehr wenigen Menschen gelang es, sie zu nutzen, einer von ihnen war unser junger Adept Drank.

Als Olaf seltsamerweise über das schwarze Buch von Apyllon stolperte, ging er damit sofort zu Drank und Frank und seine anfänglichen Zweifel, ob es sich wirklich um das eine Buch handele, wurden schnell beseitigt. Sie hielten es vor dem Orden und deren Mitgliedern geheim. Zu viele würden es für sich beanspruchen wollen und ins Verderben stürzen. Sie wollten dies unbedingt verhindern. Wenn es jemanden treffen sollte, dann sie. Ihr eigentliches Ziel jedoch war folgender: Unsterblich werden und somit alles Wissen der Welt ins Buch *Mortuus* niederschreiben. Und genau deshalb wollten sie das Geheimnis über das schwarze Buch lüften.

Seitdem sie am Friedhof Halt gemacht hatten, sprachen sie kein Wort mehr. Ab und an blieb einer von ihnen zurück und schaute nachdenklich in den Wald. Jeder machte sich seine eigenen Gedanken. War es Zweifel, der sie stoppte? Sie wussten, worauf sie sich einließen und dennoch wagten sie die Reise. Aber jetzt, da sie einen Hauch seiner Macht zu spüren bekamen und Dinge sahen, die sie zuvor nicht gesehen hatten, kamen Ängste auf. Der Wille, etwas unbedingt zu wollen, lockte sie. Die Angst vor der Macht Apyllons brachte Verzweiflung in ihnen auf und die Wahrheit würde sie vielleicht aufhalten.

Der Wald lichtete sich immer mehr und in der Ferne sah man den untersten Teil der zwei Berge. Dazwischen war ein Weg, der steil eine Böschung hinab ging. Im langsamen Galopp ließen sie die letzten Meter Wald hinter sich. Nun befanden sie sich auf flachem Terrain. Vor ihnen erstreckte sich eine riesige Grasfläche mit wunderschönen Blumen, mit giftgrünen sowie blauen Tulpen, die im Mondschein glitzerten. Auch ihnen unbekannte Pflanzen sprossen aus dem Boden und wetteiferten in Sachen Schönheiten mit dem Mond. Einige waren mit silbrigen Punkten gesprenkelt und schimmerten wie Glühwürmer in der Nacht. Von oben herab gesehen sah es so aus, als ob diese riesige Grasfläche durch kleine glitzernde Punkte erleuchtet wird. Wie der Nachthimmel, der mit hell leuchtenden Sternen geschmückt ist. Dieser Anblick verschlug ihnen die Sprache. Sie stiegen von ihren Pferden ab und liefen zu einer Steintafel, die sich inmitten der Aufsplittung des Weges zu drei Pfaden befand. Alle Pfade schienen zu den zwei Bergen zu führen. Die Steintafel war schwarz und so groß wie zwei Menschen. In Stein eingemeißelt und mit goldener Farbe gefüllt stand Folgendes darauf:

»Nun seid ihr am Pfad des Beginnens,
rechts, links oder mittig? Welchen Weg werdet
ihr liebgewinnen?
Schon an dieser Hürde scheitern die meisten,
kein Seher, kein Stern kann euch weisen.«

Plötzlich sprach eine Stimme aus der Dunkelheit.

»Und welchen Weg werdet ihr nehmen?«, sprach die Stimme ganz sanft.

Frank erkannte sie und antwortete sofort mit einem gereizten Grinsen: »Den durch die Mitte, alter Mann.«

Ein ausgelassenes Lachen war zu hören. Die drei sahen sich um, in der Hoffnung, ihn zu entdecken.

»Ich bin hier oben.«

Sie wandten sich noch einmal zu der Stimme und sahen ihn diesmal. Er saß auf einem dicken Ast, in den Nachthimmel schauend, den Rücken am Baum anlehnend, die Beine baumelten in der Luft, er streichelte ein Tier und zog an seiner Pfeife. Es war Fulander.

»Komm runter und sag uns, was du zu sagen hast«, keifte ihn Frank barsch an.

Fulander ließ sich dadurch nicht aus der Ruhe bringen, »Glaube mir, das willst du nicht.«

»Wieso?«

»Weißt du, was ich hier bei mir habe?«

»Nein, ich weiß aber, was ich bei mir habe«, dabei glitt Franks Hand an sein Schwertheft, um ihm deutlich zu machen, dass er keine Angst hatte und sich jeder Gefahr stellen würde. Fulander, der blind war und dies eigentlich nicht sehen konnte, sah es dennoch und fing an zu lachen.

»Und du bist dir wirklich sicher?«

Noch ehe Frank antworten konnte, schallte ein Miauen aus der Richtung in der Fulander war.

»Er heißt dich willkommen. Ich stelle euch einander vor«, scherzte der exzentrische, alte Mann froh und munter. Franks Gesichtsausdruck änderte sich mit einem Schlag.

»Bleib wo du bist, närrischer, alter Mann!«, rief ihm Frank hastig zu und trat nervös ein paar Schritte zurück.

Seine zwei Reisegefährten belustigte die Situation und sie fingen an, lauthals zu lachen. Frank machte ein pikiertes Gesicht.

»Genug der Alberei. Was gab es so Wichtiges, das du uns sagen wolltest? Erkläre dich, Fulander«, forderte ihn Olaf auf.

Der alte Mann zog an seiner Pfeife, so gemächlich als ob er alle Zeit der Welt hätte: »Das Buch mit dem schwarzen Einband.« Der Rauch, welchen er aus seinem Mund blies, erzeugte eine riesige Rauchschwade, welche sich ringelnd gen Nachthimmel verflüchtigte und auflöste. *»Nimm an das Ewige und lass weg das Verwerfliche, ganz ohne Einwand.* Der Rest dürfte euch bekannt sein, nehme ich an.«

»Woher weißt du …«, noch ehe Drank aussprechen konnte, unterbrach ihn Fulander.

»Ich weiß Dinge, die ich nicht weiß. Ich las ein Buch und wusste, dass ich nicht viel wusste. Nach dem zweiten Buch wusste ich, dass ich noch viel weniger wusste, als ich annahm zu wissen, und nachdem ich ein drittes Buch gelesen hatte, wusste ich, dass ich gar nichts wusste.«

Keiner der drei konnte sich zusammenreimen, was er ihnen damit sagen wollte, und so schauten sie sich verblüfft an.

»Willst du uns davon abhalten? Von dem weswegen wir hier sind?«, fragte Drank ein wenig abwesend.

»Abhalten … Kannst du den Regen davon abhalten, zu Boden zu fallen? Kannst du die Flussrichtung des Wassers ändern? Kannst du die Zeit davon abhalten, zu vergehen? Von etwas Beschlossenem kann man nicht abhalten oder aufhalten, junger Adept«, sprach Fulander im ernsten Ton, nicht mehr so verspielt und kindisch wirkend wie eben noch.

Frank meldete sich wieder zu Wort, diesmal entschlossener:

»Nein, und deshalb hat diese Unterhaltung auch keinerlei Bedeutung für uns. Denn egal, was du bezwecken willst, wir werden diesen Weg gehen und uns nicht davon abhalten lassen.«

Bis vor kurzem noch machte sich Unsicherheit unter ihnen breit. Ein Hauch Verzweiflung haftete an ihnen wie Öl auf weißer Wäsche. Diese Worte machten ihnen Mut. Manchmal aber sind Worte leer, ohne Inhalt.

»Ich will dir keinen Weg aufzwingen, ich will ihn dir weisen, denn gehen musst du ihn selbst«, sagte Fulander während er seine Katze streichelte.

»Wir werden es vollenden, komme was wolle! Dies ist mein letztes Wort«, schrie Frank und wandte der Stimme den Rücken zu.

Fulander, der eben noch auf dem Ast saß und seine Beine baumeln ließ, gab keine Antwort mehr, was ihnen sehr verdächtig vorkam, weil er sonst immer etwas entgegnete. Der Baum, auf dem er saß, verdunkelte sich, als ob ein Schatten ihn verschlingen würde. Die drei schauten verdutzt drein und wussten nicht genau, was vor sich ging.

Wutentbrannt zog Frank sein Schwert: »Was ist das für eine Hexerei!«

Olaf schärfte sogleich seine Sinne und nahm sich Pfeil und Bogen zur Hand.

»Das gefällt mir ganz und gar nicht. Dieser Kauz ist nicht normal«, raunte der Jäger während er wild um sich schaute. Frank und Olaf gingen immer wieder im Kreis, um jede Richtung im Blick zu haben. Sie sahen nichts, nichts außer den schönen Pflanzen und dem atemberaubenden Nachthimmel.

Drank stand wie angewurzelt da. Er war sich nicht sicher, was er tun sollte und konnte sich nicht erklären, was da vor sich ging. *Ich beherrsche den Schatten ebenfalls, aber ganz und gar zum Schatten werden ...«,* seine Gedanken wurden von einer bekannten Stimme unterbrochen.

»Ich bin hier oben auf der Tafel.«

Allesamt drehten sie sich genau in diesem Moment zu ihm. Er saß nun auf der Steintafel wie ein Kind auf einem Apfelbaum und ließ die Beine wieder lässig hin und her baumeln.

»Alter Mann, wer oder was genau bist du?«, fauchte ihn Frank tobsüchtig an, dabei rammte er sein Schwert in die Erde und das mit solch einer Wucht, dass selbst Fulander einen Augenblick lang mulmig zumute war, zumindest augenscheinlich.

»Das, was ihr werden wollt, doch nicht das, was ihr euch erhofft zu werden.«

Sein schwarzer Kater war nicht mehr an seiner Seite, als hätte er sich in Luft aufgelöst. Nun, da er auf der Steintafel saß und der Mond ihn ungehindert beschien, sah man ihn in voller Pracht. Er trug einen langen dunkelblauen Umhang, der zugeschnürt war und im Mondschein ein wenig schimmerte. Sein langes, graues, verwirbeltes Haar wehte im seichten Wind mit und ein paar Strähnen fielen ihm ins Gesicht. Mit starrem Blick in die Ferne strich er sich durch seinen langen Bart ehe er auf die drei hinabblickte wie ein Kind, welches ganz lieb nach etwas zu Essen fragt.

»Mein junger Adept, du bist nicht der Einzige, der die Schatten beherrscht. Euer Orden des Schattens wurde damals von einem euch Unbekannten gegründet, aus einem einzigen Grund, ihr solltet die Wahrheit, die euch und diese Welt umgibt, lüften und niederschreiben.«

Er legte eine Pause ein ehe er weitersprach. »Die Wahrheit, die ultimative Wahrheit und nichts anders als die Wahrheit sollt ihr suchen und finden. Doch ihr seid im Irrglauben …«

Drank unterbrach ihn: »Du sagtest doch selbst, ein Menschenleben reiche nicht aus, um alles zu sehen und zu wissen. Das waren deine Worte. Ich weiß, dass du uns davon abhalten willst.« Währenddessen wurde er stutzig. Woher wusste Fulander das über den Orden? Der Orden und seine Doktrin waren ein Geheimnis für Außenstehende. Drank fragte sich, was Fulander damit gemeint hat, dass er nicht der Einzige sei, der die Schatten beherrsche.

Die anderen zwei lauschten dem Gespräch, ohne sie zu unterbrechen.

»Ich sagte aber auch, dass wir blind sind und wir deshalb nicht alles sehen können, bevor es geht zunichte, und damit meine ich nicht Menschen, die des Sehens nicht mächtig sind. Euer Herz, eure Seelen, euer Ich ist blind«, sprach Fulander und richtete sich auf. Er öffnete seinen langen, dunkelblauen Umhang und streckte seine schlaksigen Arme gen Himmel und schaute empor. Seltsamerweise wirkte er jetzt größer als sonst. Ihnen wurde mulmig. Frank zog sein Schwert aus der Erde und Olaf richtete seinen Pfeil auf ihn. Der Adept streckte seine Arme ebenfalls und tentakelartige Schatten kamen aus seiner Handinnenfläche und griffen nach Fulanders Beinen.

»Was du auch vorhast oder vorhattest, dein Weg endet hier«, brüllte Frank ihn schnaubend an.

»Es gibt kein Entkommen«, ergänzte Drank seinen Kameraden. Olaf zielte währenddessen auf Fulanders Kopf und schwieg.

Der alte Mann regte sich nicht und ihn schien es nicht sonderlich zu kümmern, was die drei von sich gaben. Er faselte irgendwas Unverständliches vor sich hin. Danach senkte Fulander seinen Kopf und schaute sie mit wütendem Blick an. Ein kalter Schauer jagte ihnen über den Rücken. Ihn mit diesem wutverzerrten Gesicht zu sehen war neu.

»Ihr Narren! Ihr dummen Narren! Nicht ich kann nicht entkommen, sondern ihr!«, schrie Fulander mit solch einer finsteren Stimme, dass für einen Augenblick die Welt stehen zu bleiben schien. Plötzlich fiel Franks Schwert aus seiner Hand, Olaf konnte sich nicht mehr rühren, geschweige denn eine Mine verziehen, Drank hielt seine Hände immer noch ausgestreckt, doch die Schatten aus seiner Hand waren verschwunden. Etwas Seltsames ging hier vor sich. Diesmal waren es Fulanders Schatten, die aus dem Boden ragten und die Okkultisten unbeweglich machten. Daraufhin sprang der alte Mann von der Tafel runter, so leichtfüßig und elegant wie es nur eine Katze gekonnt hätte. Die drei konnten nur ihre Augen bewegen und folgten ihm mit diesen so gut es ging. Fulander stellte sich vor sie hin und sagte: »Ihr seid überheblich.«

Mit langsamen Schritten ging er um sie herum und obwohl er blind war und die Augen verschlossen hielt, fühlte es sich für sie so an, als würde er ihnen tief in die Augen schauen.

»Einer mehr als der andere.«

Nun blieb er vor Drank stehen, dessen Arme immer noch ausgestreckt in der Luft hingen.

»Du bist klug für dein zartes Alter. Aber Klugheit oder Mut wird euch nicht helfen. Ihr werdet sterben, nein, etwas weitaus Schlimmeres wird geschehen.«

Er ging wieder vor die Steintafel und hatte die drei vor sich stehen. Sein schwarzer Kater tauchte nun auch plötzlich wieder auf und kam ganz langsam hinter der Tafel zu ihm angeschlichen. Obwohl nur Frank an diesen Mythos glaubte, schlossen sie alle im selben

Moment instinktiv die Augen. Ein lautes Lachen war zu hören.

»Na, seht ihr? Ich sagte doch, ihr seid blind. Ich werde euch nicht von dem abhalten, was ihr vorhabt. Ihr müsst es selbst tun. Doch wisst, es gibt weitaus schlimmere Dinge, als einem Kater bei Nacht in die Augen zu blicken.« Fulander schwieg und seufzte schwer. »Vielleicht werdet ihr bald erfahren, wer ich wirklich bin, ehe es zu spät ist.« Dies sagte er so leise, dass es die anderen nicht hören konnten.

Die Augen hielten sie immer noch fest verschlossen, keiner regte sich. Einige Minuten verstrichen und es kam weder ein weiser Satz noch irgendwelche Belehrungen seitens Fulander. Sie trauten sich zwar noch nicht, die Augen zu öffnen, ihre Körper jedoch fühlten sich wieder leichter an. »Öffnet nicht eure Augen, es könnte eine List sein«, warnte Olaf seine Kameraden, bevor sie zu übermutig wurden.

Drank stand aber schon vor der Steintafel und strich mit der Hand nachdenklich darüber. »Er ist fort, ihr könnt eure Augen öffnen.

Im selben Moment öffnete Frank die Augen und griff nach seinem Schwert. »Wo ist er hin? Hat er sich versteckt?«

»Auf deine erste Frage hat wahrscheinlich niemand eine Antwort und die zweite erübrigt sich«, antwortete Drank.

Olaf blickte hingegen gedankenverloren in den Nachthimmel. Sie wussten nicht, ob Fulander wiederkehren würde, um sich ihnen in den Weg zu stellen. An diesen Gedanken wollten sie einstweilen keine

Zeit verschwenden. Und dann, als ob nichts geschehen wäre, stiegen sie auf ihre Pferde und ritten weder nach rechts noch nach links, sondern nahmen den Pfad in der Mitte, wie Frank es zuvor gesagt hatte. Diesen Weg wählten nur die wenigsten, da er direkt zum Fluss des Gewissens führte und dieser an den Wald La-Hul grenzte. Mitten auf ihrem Weg zwischen den Bergen, hielten sie kurz an und blickten empor. Die Berge waren so riesig, dass es ihnen unmöglich war, den Berggipfel zu sehen, ein wenig eingeschüchtert ritten sie weiter.

Nachdem sie einen gemächlichen Ritt hinter sich gelassen hatten und am Fluss des Gewissens angekommen waren, suchten sie nach der besagten Furt und wurden dank Olafs Scharfsinnigkeit schnell fündig. Am Rande Flussbetts wollten sie bis zum nächsten Morgen rasten und dann weiterziehen. Olaf verdonnerte seine Kameraden dazu, ein wenig Brennholz zu sammeln, während er eine kleine Grube für das Feuer aushob und die Ränder mit Steinen abschirmte. Frank seufzte verdrossen und wollte sich auf den Weg machen, als Olaf gebieterisch die Hand hob. Seine Kameraden schauten verwirrt zu ihm.

»RISSWÜRMER!«, schrie Olaf so laut er konnte. Frank und Drank blickten sich schockiert an. Olaf war ein sehr geschickter Jäger und hatte Erfahrung mit allerlei Ungeheuern und Tieren. Er hörte die Erde beben, noch bevor es die anderen wahrnahmen und wusste auch, dass es kein gewöhnliches Erdbeben war.

Erst, als der Boden leicht anfing zu beben, bemerkten es auch die anderen und die Pferde wurden unruhig. Drank schaute mit einem mulmigen Gefühl zum Fluss, das Wasser vibrierte so heftig, dass man meinen könnte, es würde sieden. Mit jeder Sekunde bahnten sich die Würmer unter der Erde weiter ihren Weg an die Erdoberfläche.

»Nehmt rasch alles wichtige Gepäck an euch, bevor uns eines der Pferde flüchtet«, rief ihnen Olaf zu, während er geschwind seinen Bogen zu sich nahm und seinen Köcher über seine Schulter warf. Sein jähzorniger Kamerad gab seinem Pferd einen Klaps auf sein Hinterteil, doch es rührte sich nicht vom Fleck.

»Genau so stur wie sein alter Herr«, sagte er grinsend, nahm nur seinen Trinkschlauch an sich und stellte sich dann kampfbereit mit seinem Schwert in der Hand hin.

Instinktiv blickten beide zu Drank, denn er hatte das wichtigste Gepäckstück von allen bei sich, das Buch. Er nickte ihnen zu und gab zu verstehen, dass er es bei sich hatte, wenn auch versteckt unter seinem Umhang. Plötzlich riss die Erde unter seinen Füßen entzwei, und er entkam nur haarscharf dessen, was aus dem Boden kam. Eine riesige, wurmähnliche Kreatur, so groß wie fünf ausgewachsene Männer, schoss aus dem Boden empor. Die schmierige, bräunliche Haut glänzte ein wenig im Sonnenlicht, zudem funkelten ihre unergründlich schwarzen Augen wie zwei Edelsteine. Zwei riesige Klauen, welche ineinandergriffen, ragten aus ihren Mäulern, die groß genug waren, um ein Pferd mühelos entzweizuschlagen, zudem tropfte etwas Sekretartiges aus ihren Mundöffnungen. Kurz nachdem der erste aufgetaucht war, kamen noch zwei andere Würmer hinzu. Frank machte einen Schritt zurück und versuchte den Wurm, der ihm am nächsten war, zu attackieren. Dies missglückte ihm. Zu seinem Entsetzen waren die Risswürmer ziemlich flink, sie schlängelten sich auf dem Boden und wichen den Angriffen vom jähzornigen Krieger aus. Ein lautes Wiehern ertönte und die Pferde ergriffen die Flucht.

Olaf, der etwas Abstand zum Geschehen gewonnen hatte, schoss ein paar Pfeile ab, doch auch diese Mühe war vergebens. Abartig dick war die Haut der Würmer, und sie nahm nicht sonderlich Schaden.

»Verdammt! Ich hatte schon oft in den Wäldern mit diesen Risswürmern zu tun, doch diese scheinen etwas anders zu sein. Sie sind größer und aggressiver«, fauchte er verärgert.

Es war der Wald, der Wald La-Hul. Überhaupt alle Lebewesen, die in der Nähe des Waldes hausten, waren sonderlich. Dies blieb nicht unbemerkt.

»Es ist dieser verfluchte, ruchlose Wald. Seitdem wir uns ihm nähern, tauchen merkwürdige Kreaturen auf«, rief Drank den anderen zu.

Die Würmer attackierten sie nun einzeln, dümmlich waren diese Kreaturen nicht. Sie schienen taktisch vorzugehen. Der eine schlängelte Olaf hinterher, der andere trieb Frank weg von Drank, bis sie alle verstreut waren. Mit ihren riesigen Klauen versuchten sie immer wieder, nach ihnen zu greifen.

Frank trug einen erbitterten Kampf aus und beinahe hätte ihn der Wurm mit seinen Klauen geköpft.

Er blockierte den Angriff geschickt mit seinem Schwert. Im selben Moment holte er zum Schlag aus, allerdings drang seine Klinge nicht weit in die Haut des Risswurmes. Dennoch genug, um ihn zu verletzen. Ekliges, schlammartiges Blut quirlte aus der Wunde und Frank wich angeekelt zurück. Der Wurm kreischte nun laut auf und schlug mit seinem Schwanz nach Frank, welcher bis zu seinem jüngsten Kameraden geschleudert wurde.

»Frank!«, schrie Drank laut auf.

Bevor er sich nach der Gesundheit seines Kameraden erkundigen konnte, wurde er wieder angegriffen. Der junge Adept war kein geübter Krieger wie seine Kameraden, stattdessen war er nur mit einem Dolch ausgerüstet und wich den Angriffen aus. Mit einem Kampfschrei, der zeigte, dass er noch nicht am Ende war, sprang Frank wieder auf.

»Komm her du elendiger Wurm! Ich werde dich dahin schicken, wo du hergekommen bist!«

Sein Kampfeswille war nun ins Unermessliche gestiegen und sein Blut kochte.

Olaf, der mit seinem Bogen nicht viel ausrichten konnte, versuchte sich nicht allzu weit von den anderen zu entfernen. Ab und an, wenn sie auswichen und die Würmer stattdessen einen Baum zwischen ihre Klauen bekamen, teilten sie diese mühelos in zwei, als würden sie durch Butter schneiden. Sie hatten Glück, dass die Sterne heute besonders hell leuchteten und die Nacht so zum Tage machten.

Der grauhaarige Krieger rannte auf einen Felsen zu und der Wurm schlängelte ihm mit rasender Geschwindigkeit hinterher. Er sprang auf den Felsen und im selben Augenblick katapultierte er sich, mit seinem Schwert fest in den Händen, in die Luft. Mit der Wucht, die er dadurch gewonnen hatte, teilte er den Wurm entzwei. Dieser wand sich noch ein wenig, ehe er leblos liegen blieb. Mit einem raschen Schwenk ließ er das Blut von seinem Schwert abperlen und ging mit ausgestreckten Arm zu Drank.

Der Bogenschütze Olaf hatte plötzlich einen Geistesblitz, er rannte los, nahm währenddessen zwei Pfeile in die Hand und spannte seinen Bogen. Blitzschnell drehte er sich um und schoss die Pfeile ab, die punktgenau die Augen eines Wurmes trafen. Daraufhin blieb er stehen und der Risswurm, der eben noch dicht hinter ihm war, fiel genau neben ihm zu Boden und kreischte wie verrückt. Vorsichtig näherte er sich der Kreatur und schoss ihm mehrere Pfeile aus nächster Nähe in den Kopf.

Drank, der dem Wurm immer und immer wieder auswich, huschte nun an einen nahgelegenen Felsen und lehnte sich an ihn. Der Risswurm näherte sich ihm siegessicher und richtete sich vor ihm auf, um zum finalen Schlag auszuholen. Der junge Okkultist hob seine Hände und wie auch zuvor bei Fulander, schossen Schatten aus seinen Händen und machten die Kreatur bewegungsunfähig. Und dann, wie aus dem Nichts, sprang Frank von dem Felsen ab und erledigte die Kreatur mit nur einem Hieb.

Nimm an das Ewige ...

Der Morgen brach an und die Sonne, die langsam hinter dem Horizont hervorlugte, hüllte alles in ein feuriges Rot. Drank öffnete als Erster die Augen. Das Feuer, welches sie entzündet hatten, war schon lange erloschen, nur die Kohle glimmerte immer mal wieder, angefacht durch den seichten Wind. Ihren Rastplatz hatten sie an jener Stelle errichtet, an der sie einen Tag zuvor einen heftigen Kampf ausgetragen hatten.

»Aufwachen«, rief Drank seinen Kameraden zu, während er sie wachrüttelte.

Frank, der nur langsam wach wurde, mäkelte herum: »So früh schon? Die Sonne ist noch nicht mal komplett am Himmel zu sehen.«

Olaf richtete sich auf und ging zum Flussufer, um sich die Müdigkeit aus dem Gesicht zu waschen. »Es könnte das letzte Mal gewesen sein, dass wir geschlafen und diesen wunderschönen Nachthimmel von gestern bestaunt haben«, murmelte er vor sich hin, während er trübsinnig in den Fluss blickte.

»Wie kommst du drauf?«, gab Frank gähnend und mit Müdigkeit ringend von sich.

»Ich habe so ein merkwürdiges Gefühl in der Magengegend.«

Das wenige Gepäck, das sich noch bei sich hatten, schnallten sie sich um und machten sich auf den Weg, die Furt zu überqueren. Wie eine Entenfamilie wateten sie hintereinander durch den Fluss, Drank ganz vorne, Olaf in der Mitte und Frank als letzter im Schlepptau. Bis zu ihren Knien reichte das Wasser, welches ruhig und friedlich floss. Das eiskalte Wasser am frühen Morgen trübte die Stimmung und so wateten sie eine Weile stumm weiter. Als sie in der Mitte der Furt angelangt waren, hielt Drank kurz inne und stoppte. Er bemerkte, dass der Fluss unruhiger und die Strömung stärker wurde. Auch Frank und Olaf bemerkten diesen Umstand. Alle drei wateten sie aber ungeachtet dessen weiter durch das Wasser und versuchten, ihr Gleichgewicht gegen die stärker werdende Strömung zu halten und baldmöglichst am Ufer anzukommen. Sie waren schon fast am Ziel, als sie plötzlich wie angewurzelt eine gefühlte Ewigkeit stehen blieben.

»SCHNELL, RENNT!«, schrie Drank so laut, wie es ihm seine Kehle erlaubte.

Schnell begann er durch das Wasser zu waten, gefolgt von Olaf, der dicht hinter ihm war. Mit letzter Kraft sprangen die beiden an das Ufer und blickten zurück, da Frank immer noch an Ort und Stelle stand. Der Fluss wurde unruhiger und reißerischer. Sobald Frank sein Gleichgewicht ein wenig verlöre, würde er von den Strömen mitgerissen werden.

»Frank!«, schrie Olaf panisch.

Doch er konnte nicht weitergehen, etwas schien seine Füße zu umklammern. Dadurch geriet er noch mehr in Panik und das Wasser reichte ihn mittlerweile bis zur Brust. Seine Freunde schauten verwirrt drein, nicht in der Lage, ihm zu helfen. Der Wasserspiegel stieg weiter bis zu seinem Kinn. Frank schaute zum

Himmel, um noch atmen zu können und schwankte gleichzeitig mit den Armen, um sein Gleichgewicht zu halten.

»FRAAAANK!«, schrie Olaf, der nun vor lauter Panik in Tränen ausbrauch und auf die Knie sank. Drank stand in Schockstarre da und blickte entsetzt zwischen Frank und Olaf hin und her. Das Wasser schwappte über Frank nun gänzlich hinweg. Nur sein aschgraues Haar wirbelte an der Oberfläche herum.

»NEIIIN!«, schrie der erfahrene Jäger und schlug mit den Fäusten auf die Erde.

Sein Kamerad, der sich in einer geistigen Umnachtung befand, bildete sich ein, für einen kurzen Moment Fulander auf der anderen Seite des Ufers gesehen zu haben, und wie vom Blitz getroffen, streckte er seine Arme aus. Olaf, der weinend zu Drank blickte und ihm sagen wollte, er solle etwas tun, wurde unterbrochen.

»Schatten aus den Tiefen der Dunkelheit, erhebt euch!«, raunte Dranks Stimme mit dem Wind.

Und plötzlich rissen zwei riesige, schwarze Tentakel Frank aus dem Wasser. Sie hatten sich um seine Knöchel geschlungen und ihn mit Leichtigkeit herausgefischt. In der Luft, kopfüber baumelnd, hing er da wie ein Fisch am Haken. Alsbald holte ihn Drank zu sich und lies ihn sachte zu Boden sinken. Olaf wischte sich schnell die Tränen weg und legte seinen Kopf auf die Brust des Ertrunkenen. Mit einem gezielten Stoß in seine Magengegend holte er ihn wieder in die Welt der Lebenden. Wasser spuckend und nach Luft schnappend waren seine Worte:

»Was … was ist passiert? Wieso ist der Fluss plötzlich so unruhig geworden, und wer oder was hat mich festgehalten?«

»Das ist der Gewissensfluss, nur jene, deren Gewissen rein ist, können ihn ohne Probleme durchqueren«, antwortete Olaf und schaute den Fluss entlang, als ob er nach etwas suchen würde.

»Und was ist mit all den Verrückten und Mördern, die durchkommen, wieso lässt der Fluss sie passieren?«, entgegnete ihm Frank schroff.

Der Jäger dachte nach: »Meine Vermutung ist, dass diejenigen an etwas Gutes denken, während sie die Furt passieren, aber sicher bin ich mir nicht. Etwas muss diesen Fluss aufgewühlt haben.«

Der junge Adept, der mit jeder verstrichenen Sekunde ausgemergelter und kraftloser erschien, schaute Frank teilnahmslos an: »Woran hast du gedacht?«, fragte er ihn trocken.

Der erfahrene Krieger schaute ein wenig bedrückt umher und rang mit sich: »Mir ist unsere Begegnung mit Fulander eingefallen, und ich hatte plötzlich die Frage im Kopf, ob es das Richtige ist, was wir hier tun …«

Drank, der ihn böse anschaute, ohne es selbst zu bemerken, wollte etwas sagen, wurde dann aber vom Jäger unterbrochen.

»Das weiß keiner so genau, aber zerbreche dir nicht den Kopf darüber. Wir haben einen Entschluss gefasst und uns etwas geschworen, ein jeder von uns, ihr erinnert euch. Deshalb lasst uns einfach weiter gehen, egal wohin uns unser Weg führt.«

Und damit war ihr Gespräch beendet.

Nun waren sie dort angekommen, wo sie hinwollten. »Das also ist der Wald La-Hul«, seufzte Olaf. Zu ihren Füßen erstreckte sich der Wald, dicht bewachsen ohne einen Weg oder einem Pfad, welchem man ruhigen Gewissens folgen könnte. Wer sich hier hin verirrte, kehrte nie wieder zurück. Doch es gab sie, diejenigen, die in den Wald gingen und wieder herausfanden. Es waren aber nur sehr wenige.

»Was sind das für seltsame Bäume, ihre Blätter schimmern«, fragte Drank entrückt während er sich umsah.

»Schaut da, eine Karafehe und das am helllichten Tage«, rief ihnen Olaf begeistert zu. Karafehen waren äußerlich den Eulen sehr ähnlich. Jedoch sagte man, dass ein Fluch auf diesen Wesen laste. Verwunschene Eulen, nennen sie die Menschen, weil sie glauben, dass vor Ewigkeiten einmal ein mächtiger Magier eine Handvoll Eulen verflucht haben soll. Eulen besitzen mächtige, magische Kräfte, wie so viele Tiere auf dieser Welt. Dies wissen nur die wenigsten unter den Menschen. Eigentlich wissen es nur uralte Magier, denen man nachsagte, sie würden in Schauergeschichten vorkommen, um den Kindern Angst einzujagen. Einer unter ihnen, dessen Name zu späterer Zeit noch an Bedeutung gewinnen soll, wollte sich dieser Kräfte bedienen. So fing er an zu experimentieren. Diese Experimente begangen ganz harmlos, er rupfte ihnen zunächst einzelne Federn aus und braute damit ein Elixier. Nachdem er keine Stärkung seiner magischen

Kräfte feststellen konnte, wurde er zunehmend grausamer und verbitterter. Er fing an, sie zu verstümmeln, ihnen Flügel abzubeißen und roh zu verzehren, ihre Augäpfel zu essen, und sie ausbluten zu lassen. Nichts geschah, und als er nicht mehr wusste, was er noch machen sollte, wurde er verrückt und fing an, das Blut der Eulen, die er geschlachtet hatte und von der Decke hinabhängen ließ, vom Boden zu lecken. Das Resultat war ernüchternd, es geschah wieder nichts, obwohl das nicht ganz so stimmte. Seine magischen Kräfte wurden zwar dadurch nicht stärker, aber er hatte etwas verloren. Etwas, das nie mehr zurückkehren sollte: seinen Verstand. Und dann nutzte er etwas, wovon bisher noch kein Magier Gebrauch gemacht hatte. Er wandte einen Todesfluch an. All das Blut, das er vergossen hatte, all das Blut, welches er vom Boden geleckt hatte, war in ihm, und er befahl dem Blut dahin zurückzukehren, wo es herkam. Ihm war bewusst, dass sein eigenes Blut vermischt war mit dem der Eulen. So kam es, dass alles Leben aus ihm heraussprudelte, bis letztendlich sein kümmerlicher und völlig ausgetrockneter Körper leblos auf dem Boden lag. Säuselnd suchte sich jenes verwunschene Blut seinen Weg zurück in die leblosen Körper der Eulen, diese öffneten nun ihre blutroten Augen und fingen an, Namen zu rufen, Namen von Personen, die kurz davor waren zu sterben. Warum der Magier das tat, bleibt bis heute unbekannt, aber dies soll sich im späteren Verlauf noch ändern.

Die Karafehe, welche bisher nur nachts gesehen wurde, sah wie sie von den dreien beobachtet wurde und flog lautlos von dannen.

»Wahrlich ein merkwürdiger Ort«, gab Drank etwas verängstigt von sich, weil er vermutete, jeden Moment seinen Namen zu hören.

»Schön! Aber nun lasst uns weitergehen. Drank in welche Richtung müssen wir?«, entriss Frank sie aus ihren Gedanken.

»Ich weiß nicht genau wohin, aber ich weiß, dass wir tiefer in den Wald müssen. Ich hätte Fulander fragen sollen.«

Frank, der wütend wurde, als er den Namen des alten Mannes hörte, fauchte zurück:

»Lieber verirre ich mich hier im Wald und sterbe einen qualvollen Tod, als dass ich diesen alten Narren um Hilfe bitte!«

Der junge Adept grinste ihn schelmisch an.

»Seht nur die Baumstämme«, rief Olaf aufgeregt, »in sie ist irgendetwas eingeritzt worden, Symbole, Zeichnungen und irgendwelche Runeninschriften, zum Teil in unserer Sprache.«

»Die Elekuden ...?«, wisperte Drank vor sich hin und dachte an Fulanders Worte.

Der jähe Anflug von Hoffnung wurde zunichte gemacht, als Olaf merkte, dass sie die Schriften nicht entziffern konnten.

»Wir können die Schriften zwar nicht entziffern, aber dafür die Zeichnungen deuten«, erläuterte Drank optimistisch.

»Fulander hatte doch gesagt, dass er gesehen hat, wie Apyllon verbannt wurde.«

Seine Freunde hörten ihm gespannt zu.

»Und er hat gesagt, dass er schon einige Menschenleben hinter sich hat. Sucht nach irgendeiner Zeichnung oder einer Schrift, die uns helfen könnte. Ich bin mir sicher, dass solch ein bedeutsames Ereignis irgendwo vermerkt wurde.«

Und so begutachteten sie jeden Baum, der in ihrer Nähe war und drangen gleichzeitig auch tiefer in das Waldinnere vor.

Drank ging von einem Baum zum anderen in der Hoffnung, irgendetwas Nützliches zu finden. Olaf tat es ihm gleich und bewunderte dabei immer wieder die Umgebung, die hell schimmernden Blätter und die merkwürdigen Tiere, die umherhuschten. Frank hingegen hastete von Baum zu Baum und gab immer wieder einen wütenden Seufzer von sich, er war eben trotz seines Alters immer noch der Ungeduldigste von allen.

Als Olaf an einem Baum eine Zeichnung näher betrachtete, sah er über sich froschähnliche Tiere, die mit ihren langen, klebrigen Zungen am Ast hingen, sich immer wieder an ihren Zungen hochzogen und dann wieder runterseilen ließen.

Einige Zeit verstrich ohne Erfolg. Der Wind blies ab und zu durch den Wald, sehr zur Freude von Frank, der zwar trotz seines Alters rüstig war, aber sich dennoch über die Erfrischung im stickigen Wald freute.

Etwas resigniert fasste Olaf die bisherigen Funde zusammen: »Zwei Elekuden, die um einen leuchtenden Stein stehen, tierähnliche Gestalten, die Sonne und den Mond. Der Rest sind alles Inschriften, die wir nicht entziffern können.«

Ein schreckliches Gekreische ließ sie aufhorchen.

»Hört sich nach einem Kind an«, sprach Frank zu seinen Freunden und zückte sein Schwert.

Seine Sinne schärfend versuchte er, die Richtung zu deuten aus dem das Gekreische kam. Nach einer Weile schaute er verdutzt drein, denn es schallte von überall.

»Wir müssen das Kind finden und helfen! Irgendwer oder irgendwas tut einem Kind etwas Schreckliches an«, rief er aufgebracht während er versuchte, sich nach dem Geschrei zu orientieren.

Es waren keine normalen Schreie, es waren schmerzhafte Schreie, die einem einen Stich ins Herz versetzten, wenn man sie hörte.

Ungläubig und voller Zorn schrie Frank auf und haute mit bloßen Händen gegen einen der Bäume, so stark, dass seine Hand zu bluten anfing.

Drank brach sein Schweigen, fast schon apathisch sagte er:

»Ihr könnt noch lange suchen, werdet aber trotzdem nicht fündig werden. Das sind nicht die Schreie eines lebenden Kindes, sondern die seiner Seele.«

Der Zorn des rüstigen, alten Mannes verebbte mit einem Male, und er erwiderte ratlos den fast schon leeren Blick seines jungen Freundes: »Seiner Seele?«

»Ja, seiner Seele. Die Stimmen, die du hier hörst, sind die Stimmen der Toten. Sie rufen nach Hilfe, sie schreien aus Verzweiflung, einst waren sie Lebendige, aus dem Leben wurden sie jedoch gewaltsam entrissen, von Mördern und Schändern. Und das, was wir hören, ist eine ihrer Wehklagen«, antwortete Drank, der nun Mitgefühl zeigte und traurig wirkte.

Olaf machte staksige Schritte und versuchte, das Gesagte zu verarbeiten: »Wieso sind gerade ihre Seelen hier im Wald gefangen? Wieso finden sie keinen Frieden?«

»Ich weiß es nicht.«

Schreie eines Neugeborenen kamen hinzu und daraufhin verloren sie komplett die Fassung. Keiner von ihnen hatte die Kraft, das zu ignorieren und weiterzugehen. Wie angewurzelt standen sie da und horchten allesamt dem Geschrei zu. Frank steckte sein Schwert in die Scheide und drehte ihnen den Rücken zu. Olaf sank auf die Knie und verschloss seine Augen. Die Schreie wurden immer lauter und mit jedem Mal hinterließen sie ein noch herzzerreißenderes Echo. An einem der Bäume ging nun auch Drank zu Boden, keine Kraft mehr, um sich zu halten, lehnte er sich an einen Baum und sah aus wie ein alter gebrechlicher Mann, etwas zerrte an seinem Leben: Stille und der Wiederhall des Leidens.

Zu ihrer Überraschung war es Frank, der anfing leise vor sich hin zu singen:

»Ich will nicht mehr trübsinnig sein.
Alt möchte ich werden wie guter Wein,
sterben mag ich nicht, ich bin doch noch so klein,
einst sagte mal ein alter Mann, die Welt sei mein,
ich will nicht davongehen, meine Seele ist so rein,
unbeschmutzt und ohne Tadel,
wir sind Kinder, wir essen auch mal
ohne eine Gabel,
noch will ich nicht in den Himmel,
denn dort wird es nicht heißen, Essenszeit,
höret die Klingeln
Und …«

Seine Stimme verebbte und langsam senkte er sein Haupt. Trübselig waren ihre Blicke, zitternd ihre Hände. Nur mit Mühe konnte sich Drank aufrichten. Er versuchte sich zusammenzureißen. Olaf wollte es seinem jungen, aber doch immer älter wirkenden Kameraden gleichtun, dabei schaute er in den Himmel, der ein wenig durch die Baumkronen zu sehen war.

»Wir müssen weitergehen. Versucht … versucht einfach nicht hinzuhören«, raunte Dranks Stimme leise, er versuchte seinen Gram zu unterdrücken.

Frank schweifte indes gedanklich ab. »Drank«, rief er seinem Freund zu, »warum sind wir diesen Weg gegangen, als gäbe es nur diesen einen?«

Sein Blick strahlte wieder Entschlossenheit aus und seine Worte zeugten von seiner plötzlich wiedererlangten Kraft.

»Weil es für uns nur diesen einen Weg gibt.«

Der rüstige, alte Mann antwortete nicht. Er stand immer noch mit dem Rücken zu ihnen und horchte in den Wald.

Olaf ergriff als erster die Initiative und ging voran, Drank im Schlepptau. Frank trottete langsam hinterher und während die anderen wieder weiter nach Hinweisen suchten, schaute der zornige, aber dennoch weichmütige, Grauhaarige gedankenversunken zu Boden. Jenes Geschrei von eben verstummte. Stattdessen waren Eulenrufe zu hören. Sie unterbrachen ihre Exkursion und horchten den immer unheimlicher klingenden Rufen, mit der Angst, einer ihrer Namen könnte zu hören sein.

Nun ging es einen steilen Abhang hinauf. Baum um Baum suchten sie weiter nach Hinweisen. Was sie vorfanden war ernüchternd: Inschriften, die sie nicht entschlüsseln konnten und weitere Zeichnungen, deren Bedeutung ihnen ein Rätsel war. Dabei erzählten die Bäume die gesamte Geschichte der Elekuden, jedes Ereignis, jede Katastrophe wurde somit festgehalten. Aber keineswegs waren es die Elekuden, die diese Gravuren in die Baumrinde ritzten, es waren die Bäume selbst. Sie bezeugten jene Ereignisse und flüsterten sich diese durch die Wurzel zu. Jeder sollte wissen, dass die Bäume im Wald La-Hul leben, sie hören, sie sehen und sie fühlen wie es die Menschen auch tun. Wobei Letztere Erstere nicht so behandeln.

Inzwischen war die Hitze wieder unerträglich geworden, und die Sonne hatte ihren Zenit erreicht. Keuchend gingen sie weiter bergauf, in der Hoffnung etwas zu finden, das ihnen helfen könnte. Denn obwohl sie bisher nichts Brauchbares gefunden hatten, waren sie fast am Ende ihrer Reise angelangt, das spürten sie und diese kollektive Erkenntnis brachte sie weiter vorwärts.

Das Gelände wurde nach einer Zeit wieder eben und sie konnten durchatmen, Frank presste seine Lippen wild an seinem Trinkschlauch und trank seinen letzten Vorrat an Wasser. Aber noch bevor er richtig zur Ruhe kam, rief Olaf aufgeregt: »Kommt schnell her! Ich habe vielleicht etwas Nützliches gefunden.«

Gemeinsam eilten die beiden anderen zu ihm. Der zähe Jäger strich mit seiner narbigen Hand über eine Gravur: »Seht nur.«

Ein Elekude war zu sehen. Seine Hände waren ausgestreckt und vor ihm war eine Art zylindrischer Lichtstrahl. Darüber war ein Mensch abgebildet, der offensichtlich die Situation beobachtete.

Eigentlich war Drank der findigste der Truppe, aber diesmal war es Olaf, der richtig schlussfolgerte, ein Schauer lief ihm über den Rücken: »Fulander hatte doch erwähnt, er habe gesehen, wie Apyllon verbannt wurde. Könnte … könnte es sein, dass der Mensch auf der Abbildung, er ist?«

Drank lehnte sich neugierig nach vorne und betrachtete die Zeichnung genauer: »Wenn mich nicht alles täuscht, muss der andere auf der Abbildung der Elekude Izagun sein. Er hatte seinen Namen erwähnt.«

»Er hat das Buch vor uns besessen. Ihm hat er seine lange Lebenszeit zu verdanken. Es muss sehr lange her sein, denn er sagte, dass er schon einige Menschenleben hinter sich hat. Irgendwie ist es schon seltsam, hätten wir ihn nicht zufällig getroffen, würden wir ziellos umherwandern, wie verlorene Seelen, auf der Suche nach dem Nichts. Andererseits wollte er uns davon abhalten«, meldete sich Frank zu Wort.

Allmählich näherten sie sich der Stelle, an der Apyllon verbannt wurde, dessen waren sie sich bewusst. Ehe sie weitersuchen konnten, flog aus heiterem Himmel ein Stein gegen Olafs Kopf, was ihn zusammenschrecken ließ. »Was war das?«, rieb er sich mit der Hand an der getroffenen Stelle, auch wenn der Stein nicht genug Wucht besaß, ihn ernsthaft zu verletzen.

Frank, der ein Rascheln in den Büschen nicht fern von ihnen bemerkt hatte, hastete sogleich hin. Zielgerichtet ging er auf einen kleinen Busch zu. Sein Schwert zog er nicht, stattdessen steckte er seinen Arm in das Gestrüpp. Es raschelte ein paar Mal ehe er fündig wurde. Grinsend zog er seinen Arm heraus und das seltsamste Geschöpf, das sie je gesehen hatten, zappelte in seinem Griff. Ein Elekuden-Kind.

Völlig verdutzt schauten die anderen zwei auf das, was sich in Franks Fängen befand. Der Junge fuchtelte wild mit seinen Armen, um sich aus dem Griff zu lösen.

»Lass mich los, Menschensohn!«, schrie er.

Hellleuchtend waren seine perlmuttweißen Augen, die aus Wut pulsierten und blattgrün seine Haut.

Frank ließ ihn los und schon waren Drank und Olaf zur Stelle, um ihn sich genauer anzusehen. Sie studierten ihn sorgfältig und waren ungläubig zugleich. Noch nie zuvor hatten sie einen Elekuden gesehen. Sie kannten sie nur aus Märchen, so wie jeder andere. Nicht einmal der Orden des Schattens konnte bisher die Existenz der Elekuden bestätigen.

»Warum hast du uns angegriffen, junger Elekude?«, fragte Drank ganz höflich, obwohl er immer noch völlig verblüfft war.

»Weil ich der Hüter dieses Waldes bin und kein Mensch ihn besudeln darf«, gab er frech und entschlossen von sich.

Seit langem hatten die drei wieder etwas, worüber sie schmunzeln konnten.

»Wir wollen deinem Wald nichts tun und auch kein Unheil stif…«, noch ehe Drank zu Ende sprechen konnte, unterbrach er und dachte düster nach. War es richtig, mithilfe des schwarzen Buches von Apyllon unendliche Lebensenergie zu erlangen oder war es falsch?

»Wie lautet dein Name, Junge?«, fuhr er fort.

»Kulaf«, und dabei ballte er seine Fäuste, schaute sie zornig an und fixierte sie.

Olaf war ganz begeistert von dem Jungen und hörte nicht zu. Er betrachtete dessen schöne, lange, weiße Haare und dessen Haut.

»Kulaf, bist du allein hier? Sind noch mehr von deiner Art in der Nähe?«, hakte Drank nach.

Wütend presste er die Zähne zusammen: »Ich brauche niemanden, um mich zu verteidigen.«

Frank konnte seine Begeisterung nicht lange aufrechterhalten, etwas schien ihn zu bedrücken, er beugte sich zu Drank und flüsterte ihm etwas in sein Ohr. »Ich weiß, dass das hier sehr wichtig für den Orden ist, aber wir sind nah dran, und ich habe irgendwie das Gefühl, dass wir beobachtet werden. Wir sind kurz vor unserem Ziel. Wir sollten keinen Aufruhr verursachen, falls es denn noch mehr von seiner Art in der Nähe geben sollte. Lassen wir ihn laufen und ziehen von dannen.«

Der junge Adept nickte: »Nun Hüter des Waldes, wir würden unsere Reise gerne fortsetzen.«

Kulaf würdigte ihn keines Blickes und rannte weg.

Sie schauten ihm nach, bis er zwischen den Bäumen nicht mehr zu sehen war, dann kehrten die Okkultisten wieder zum Baum zurück, bei dem sie zuvor etwas entdeckt hatten und suchten von der Stelle aus weiter. Die Zeichen an den Bäumen wurden immer seltsamer. Ein Kreis war zu sehen und Augen, durch die ein Strich gezogen war. An einem anderen Baum waren Tropfen zu sehen. Olaf entdeckte einen Baum, auf dem Samen eingraviert waren. Auf dem Baum daneben waren Pflanzen zu erkennen, die aus den Samen sprossen. Mit jedem weiteren Zeichen stellten sich ihnen noch mehr Fragen. Was hatten all diese Zeichnungen zu bedeuten? Es ergab keinen Zusammenhang, zumindest blieb er ihnen vorerst verborgen. Frank seufzte immer wieder wütend und ungeduldig. Olaf suchte eifrig weiter und Drank wirkte bei jedem weiteren Zeichen noch nachdenklicher. Immer wieder huschten Tiere an ihnen vorbei. Seltsame Tiere, die sie noch nie zuvor gesehen hatten, doch sie schenkten ihnen keine Beachtung, so vertieft wie sie waren.

Plötzlich fanden sie sich auf einer kreisförmigen Lichtung wieder. Der Boden unter ihren Füßen bestand nur aus unfruchtbarer Erde, kein Baum, keine Pflanzen, nichts gedieh hier. So als ob etwas den sonst fruchtbaren Boden hier im Wald verdorben hätte. Die drei bemerkten dies und schauten sich in allen Richtungen um. Dann teilten sie sich auf und gingen zu den Bäumen, die am äußersten Rand der Lichtung waren. Ein Kristall war auf einer der Rinden abgebildet. Ein Kristall, der Strahlen von sich gab. Auf einem anderen Stand in Menschenschrift `XANADUR'.

Nicht weit weg vom Geschehen war ihnen jemand gefolgt. Ein kleiner Jemand, der sich der Hüter des Waldes nannte, und sie versuchte zu ärgern, in dem er nur so getan hatte, als wäre er weggerannt. Ein Hüter des Waldes würde er gewiss einmal werden, denn selbst Olaf, der Aufmerksamste von allen, bemerkte nicht, dass er ihnen heimlich gefolgt war. Hinter einem purpurfarbenen Gestrüpp suchte er Schutz vor ihren Augen und hielt sich versteckt. Und was er jetzt sehen würde, würde ihn für den Rest seines Lebens prägen. Er machte große Augen, als ihm bewusst wurde, wo sie sich befanden. Es war jener Ort, an dem Apyllon vor langer Zeit verbannt wurde, von Izagun dem Weisen, dem ältesten aller Elekuden. Kulaf kannte die Geschichte, jeder Elekude kannte sie. Sie mussten es einander nicht berichten, auf den Rinden war alles festgehalten und im Gegensatz zu den Menschen, konnte ein jeder Elekude verstehen, was darauf stand.

Dem Jäger wurde ganz anders zumute, er ließ seinen Blick durch die Gegend schweifen und war nervös. »Ich glaube, wir sind da, wo wir hinwollten.«

Drank ließ die tote Erde durch seine Hände sieben. »Ja, ich denke auch. Hier gedeiht nichts mehr. Im Vergleich zum Rest des Waldes ist dies ein trostloser Ort und die Zeichen auf den Pflanzen sagen dasselbe.«

»Drank, pack das Buch aus«, gab Frank von sich.

Letzte Blicke unter ihnen wurden ausgetauscht, dann zogen sie ihre schwarzen Umhänge aus und legten sie auf den Boden. Drank hatte das Buch die ganze Zeit über auf seinem Rücken in einer kleinen Tasche getragen. Er öffnete es und holte das schwarze Buch Apyllons raus, anschließend legte er es auf den Boden.

»Öffne es, vielleicht geschieht etwas«, forderte ihn Frank ungeduldig dazu auf.

Er tat, wie ihm geheißen wurde. Nichts geschah. Die Seiten waren genau so leer und ohne Erfüllung wie zuvor. Entmutigt blickten sie das triste Buch an.

»Was sollen wir tun?«, fragte Olaf.

Keiner antwortete, sie schwiegen sich an. Nun war es soweit, aber niemand wusste, wie es ab hier weitergehen sollte. Dies war ihnen schon zuvor bewusst gewesen, doch hatten sie den Gedanken daran verdrängt. Frank schüttelte entnervt den Kopf und seufzte. Drank, der kniete und das Buch vor sich liegen hatte,

103

blickte fragend gen Himmel, der von dieser Stelle aus nicht von Ästen verdeckt wurde.

> *»Das ewige Buch mit schwarzem Einband,*
> *nimm an das Ewige und lass weg das Verwerfliche, ganz*
> *ohne Einwand,*
> *die Seiten sind leer und ohne Erfüllung,*
> *denn sie warten noch, auf ihre Enthüllung,*
> *ich schenke euch das ewige Leben,*
> *der Pakt bedeutet, Geben und Nehmen,*
> *werdet ihr ihm Leben einflößen?*
> *Oder es euch entblößen?«*

Dieses Gedicht ließ er sich immer wieder durch den Kopf gehen, in der Hoffnung, auf irgendeinen Gedanken zu kommen. Kulaf sah das schwarze Buch und wusste genau, worum es sich handelte. Er beobachtete sie angespannt weiter. Die Eulenrufe wurden lauter. Dies beunruhigte Frank, woraufhin er sein Schwert zog. Die Blätter der Bäume und der anderen Pflanzen um sie herum änderten schlagartig ihre Farben in ein endloses, dunkles Schwarz.

Wie unsichtbares Gift verbreite sich die Furcht unter ihnen aus. Dies machte den alten Mann wahnsinnig. Er drehte sich wild um sich herum und hatte jeden Winkel im Auge. Olaf indes hielt seinen Bogen gespannt. Drank, an dem alles vorbeizog, faselte irgendetwas Unverständliches vor sich hin. Kulaf fing an zu zittern. Ein Elekude bemerkte stets, wie sich die Pflanzen um sie herum fühlten und er spürte, dass der Wald unruhig wurde.

Plötzlich stand Drank auf und blickte zu den anderen, dann schaute er um sich herum und rief sich die Zeichnungen in sein Gedächtnis. Wie ein Verrückter schaute er hin und her, bis er jäh stoppte und Folgendes sagte:

»Ich kenne nun des Rätsels Lösung«, er holte noch einmal tief Luft ehe er weitersprach, »im Gedicht heißt es, die Seiten sind leer und ohne Erfüllung. Habt ihr den Mut ihm Leben einzuflößen?«

Seine Freunde wussten nicht, was sie damit anfangen sollten.

»Blut.«

»Blut?«, erwiderte Frank ungläubig.

Olaf, der ebenfalls skeptisch drein blickte sagte: »Ich hatte an ein bestimmtes Ritual gedacht, aber dass es so simpel ist …«

»Die Gravuren auf den Rinden geben genau dies wieder. Regen fällt zur Erde, in der Erde befinden sich Samen und Samen gedeihen nur, wenn ihnen Leben eingeflößt wird. Wasser ist die Quelle des Lebens für die Pflanzen und uns haucht das Blut Leben ein.«

Jetzt, da er seine Gedanken erläutert hatte, leuchtete es den anderen ein. Hier an dieser Stelle wurde er verbannt und hier an dieser Stelle war die Bindung zu Apyllon besonders stark. Wolken verdeckten die Sonne und das Licht wich der Dunkelheit. Kulafs Herz pochte schmerzhaft vor Aufregung. Sollte er Verstärkung rufen oder selbst losrennen und versuchen, sie aufzuhalten? Seine Aufregung darüber, dass er noch ein Kind war und deshalb viel zu schwach dafür, war unendlich. Vorerst blieb er versteckt.

Ein letztes Mal schauten sie sich in die Augen. Frank und Olaf steckten ihre Waffen weg und Drank richtete sich auf: »Streckt eure Hände über das Buch«, befahl er ihnen gebieterisch.

Dann zog er seinen Dolch und schnitt sich leicht in die Hand, sodass sie zu bluten anfing. Seine Freunde taten es ihm gleich, gemeinsam ließen sie ihr Blut hinabtropfen, hinab auf die leeren Seiten des schwarzen Buches. Der Himmel verfinsterte sich immer mehr und auch ein heftiger Wind wehte nun, das wilde Rascheln der Bäume ließ einen nur erahnen, was passieren sollte. Wie von Geisterhand blätterten die Seiten des Buches hin und her, bis sie schließlich zum Stillstand kamen. Langsam bildeten sich Buchstaben auf der Seite. Erst entgeistert, dann neugierig neigten sich ihre Köpfe zu den Buchstaben, Drank fing laut an vorzulesen. In roter, krakeliger Schrift stand Folgendes:

»Nun habt ihr das Geheimnis gelüftet,
wie Schätze in geheimen Klüften,
ihr wollt das ewige Leben, doch wisst,
dies war eine List,
werdet zu dem, was ich euch Befehle,
denn mir gehört jetzt eure Seele!«

Olaf schaute bestürzt gen Himmel. Ihm war, als würde er jeden Moment seine Innereien erbrechen. Frank machte fahrige Bewegungen und fing an zu zittern: »Was … was meint er damit?«

Drank schaute widerspenstig auf die Seite, auf der sich die Schrift gebildet hatte und konnte kaum fassen, was dort stand: »Wir sind nicht hierhergekommen, um uns knechten zu lassen!«

Kulaf zitterte am ganzen Körper. *»Sie haben es getan, sie haben das Geheimnis gelüftet. Etwas sehr Schlimmes wird passieren, was soll ich nur tun?«,* waren die Gedanken des jungen Hüters.

Plötzlich bildeten sich schwarze Schleier um die kreisförmige Lichtung, in der sich die drei Okkultisten befanden. Kulaf wollte geistesgegenwärtig losrennen, um dem Einhalt zu gebieten, doch er konnte nicht, seine Füße rührten sich nicht vom Fleck. Sein ganzer Körper war gelähmt. »Was ist das für eine Teufelei?«, gab er ächzend von sich.

Schwarze Schatten hatten sich um seinen Körper geschlängelt und hielten ihn fest. Es waren die Schatten Fulanders, der hinter ihm stand. Fulander blickte mit verschlossenen Augen entrüstet zur Lichtung, in der sich die Schleier gebildet hatten, welche nun undurchsichtiger wurden. »Du hast recht mein Junge, dass ist wahrlich eine Teufelei, die ihresgleichen sucht.«

Kulaf zuckte zusammen und wollte sich umdrehen, um nachzuschauen, wer da gesprochen hatte. Allerdings konnte er sich immer noch nicht bewegen.

Die drei standen nun Rücken an Rücken. Auch sie hatten bemerkt, dass sie nun gefangen waren, eingeschlossen in der Dunkelheit. Entschlossen und kampfbereit gaben sie sich keine Blöße. Das Buch lag immer noch geöffnet zu ihren Füßen. Aus der schwarzen

Wand, die sich um sie gebildet hatte, drangen nun immer wieder Stimmen zu ihnen durch, Stimmen, die sie nicht deuten konnten.

»Karadur!«, hallte eine Stimme, die so finster und tief klang, dass sie aus Angst noch näher zusammenrückten. Diesmal erkannten sie die Stimme. Sie hatten sie schon einmal gehört, im Gasthaus zum Schwarzen Kater. Die Wand um sie herum hatte sich nun zu einer Kuppel geformt, sodass sie gänzlich eingeschlossen waren und nicht einmal den Himmel sehen konnten. Dieser hätte ihnen, so finster wie er war, ohnehin keinen Trost gespendet.

Etwas Schwarzes, Schattiges löste sich von der Wand und schoss durch Olaf hindurch. Er schrie vor Schmerzen und sank auf die Knie.

»Was war das? Olaf bist du verletzt?«, rief ihm Frank zu und rammte sein Schwert dabei in den Boden. Er wandte sich zu Olaf, um nach seiner Wunde zu sehen, welche aber nicht vorhanden war. Kein Blut, nicht einmal ein Kratzer war zu sehen.

Wieder löste sich ein Schatten aus der Wand und schoss durch Olaf hindurch, so schnell, dass keiner von ihnen reagieren konnte. Diesmal fiel er zu Boden und brüllte wie verrückt:

»Arghhhh! Hört auf, bitte hört auf! Ich kann nicht mehr!«

Hilfesuchend wandten sie sich zu allen Seiten, um eine Öffnung ausfindig zu machen. Vergebens. Sie waren gefangen in der Dunkelheit, ohne eine Chance auf Flucht.

»Drank! Was ist mit ihm, was geschieht hier?«

Dieser schaute fassungslos und antwortete geistes-abwesend: »Ich ... ich weiß es nicht.«

Frank schüttelte Olaf heftig am ganzen Leibe, in der Hoffnung, dass er zu sich kam. Olaf war nicht ohnmächtig geworden, seine Augen waren geöffnet, und sie waren auch auf seinen Freund gerichtet, aber er sah etwas ganz anderes.

»Bitte! Ich bitte euch! Bringt mich um! Ich ertrage diese Schmerzen nicht!«

Ob er seine Kameraden damit meinte, war ihnen ein Rätsel. Dem Adepten strömten Tränen über die Wangen, Tränen der Wut und Verzweiflung. Frank richtete sich auf und zog zornig sein Schwert aus dem Boden: »Du Feigling! Komm her! Stell dich und ver-stecke dich nicht in der Dunkelheit!«

Die finstere Stimme antwortete mit einem verächt-lichen Lachen. Olaf, der immer noch auf dem Boden lag, fing an schmerzerfüllt zu weinen. »Hört auf! Bitte hört auf, ich bitte euch«, wimmerte er, »lasst meine Mutter am Leben.«

Seine Freunde schwenkten langsam ihre Köpfe zu ihm, als hätten sie sich verhört.

»Seine Mut...«, noch ehe Frank aussprechen konnte, schoss ein Schatten durch ihn hindurch. Vor Dranks Augen spielte sich alles in Zeitlupe ab. Frank viel beinahe zu Boden, doch er rappelte sich mit Mühe wieder auf.

»Frank«, wisperte Drank leise vor sich hin, seine Augen weit aufgerissen und ungläubig schauend.

»Ich werde nicht fallen! Ich werde nie wieder fal-len!«, brüllte der alte Mann Blut hustend.

Mit Tränen in den Augen lies Drank eine Reihe von seinen schattenhaften Tentakeln aus dem Boden steigen, in der Hoffnung die Angriffe abwehren zu können. Zu seinem Entsetzen musste er feststellen, dass er nichts ausrichten konnte. Noch einmal löste sich ein Schatten und schoss durch ihn und Frank und seine Verteidigung hindurch. Daraufhin fiel Frank reglos zu Boden.

»Olaf, Frank ... steht ... steht auf. Frank greif dir dein Schwert ... Olaf dein Bogen ...«, stammelte Drank verwirrt vor sich hin.

»Lasst die armen Kinder in Ruhe, ihr elendes Pack«, murmelte Frank.

Drank, der auf die Knie sank, schaute ihn mitleidig an. Dann schoss ein letztes Mal ein Schatten durch ihn und auch er fiel vornüber. Seine Augen waren geöffnet und schauten ins Leere. »Ich bin kein Hexer ... bin doch noch ein Kind ...«

Apyllon lachte sie herablassend aus. Kulaf, der nun nicht mehr in den Fängen Fulanders war, blickte zu ihm und fragte: »Was geschieht da?«

»Ich will es nicht wissen.«

Ein anderer Elekude stand ebenfalls bei ihnen, Izagun, der älteste und weiseste unter ihnen. Er hatte lange, glatte, weiße Haare, die wie Seide glänzten, seine Haut war hellgrün und so klar wie ein Blatt, das noch keinen Herbst erlebt hat, sein Gewand war weißschimmernd und die Nähte waren mit einem goldenen Faden gestickt worden.

»Schau Kulaf, das ist der Grund, warum es uns gibt«, sagte er mit gewichtiger Miene. Seine sonore

Stimme war so beruhigend und schön, dass man es nicht einmal wagte, ihn zu unterbrechen. Wenn er redete, wollten die Elekuden nur zuhören, ihre Ohren wollten kein anderes Geräusch vernehmen als die Laute, die aus seinem Mund kamen.

»Weil es Menschen gibt, die sich dem Bösen verschreiben?«, erwiderte Kulaf zur Überraschung Izaguns.

»Kulaf, Menschen sind nicht böse, sie werden nur manchmal fehlgeleitet«, antwortete der Weise sanft und lächelte ihn dabei an.

»Aber sie machen immer böse Sachen. Sie morden, klauen, schimpfen und zerstören alles«, konterte der kleine Elekude hartnäckig.

»Nur weil einige es machen, heiß es nicht, dass alle so sind, Kulaf.«

Fulander senkte seinen Blick, ohne dabei ein Wort zu verlieren, was untypisch für ihn war. Vieles ging ihm durch den Kopf, bis sie Schreie hörten und erschauderten. Es waren schmerzerfüllte Schreie. Selbst Izagun schien betroffen, denn solch ein Wehklagen hatte er seit Anbeginn der Zeit nicht gehört. Seine Stimme war es, die eigentlich die leidenden Seelen beschwichtigte, doch keine Stimme dieser Welt konnte mehr zu den dreien vordringen.

Da lagen sie nun, ohne Hoffnung, ohne eine Möglichkeit zu entkommen.

Olaf, dessen Mutter ihm in jungen Jahren von marodierenden Räubern genommen wurde, hatte allein mit ihr auf dem Land gelebt. Sein Vater war kurz nach seiner Geburt gestorben. Sie besaßen viel Vieh, um das er sich kümmerte, bis zu jenem Tag, an dem vorbeiziehende Räuber bei ihnen Halt machten. Mit seiner Mutter aß er zu Abend, als Banditen die Türe aufbrachen. Er griff nach einem Messer und wollte sich auf einen der Räuber stürzen, dieser zog sein Schwert und schnitt ihm durch sein Gesicht. Mit dem Gesicht voller Blut, stürzte der junge Olaf zu Boden und kämpfte gegen die Bewusstlosigkeit.

»Lasst mir meine Mutter ...«, sagte er mit letzter Kraft. Er sah noch, wie sie die Kleider vom Leibe seiner Mutter rissen bevor er das Bewusstsein verlor. Als er einige Zeit später zu sich kam, fand er die Leiche seiner Mutter, geschändet und die Kehle durchgeschnitten. Hastig zog er die Tischbedeckung ab und legte sie auf seine Mutter, um deren nackte Haut zu verdecken.

Frank, der als Waisenjunge aufgewachsen war, hatte seine Eltern nie kennengelernt. Im Armenviertel schlug er sich jeden Tag durch und kämpfte ums Überleben. Jeder Tag war ein Kampf gegen Hunger und Durst. Er und ein Dutzend anderer Waisenjungen lebten in einer verlassenen Hütte. Die anderen Kinder waren jedoch zu klein und zu schwach, um etwas zum Essen zu besorgen, geschweige denn sich zu wehren. Und so kam es, dass Frank, der im jugendlichen Alter schon stattlich und stark war, die Hände voll mit Essbarem, auf die Hütte zulief und munter rief: »Kommt raus, es ist genug für alle da.« Er vermisste das fröhliche Lachen und Drängeln der Kinder, dafür hörte er aber Schreie und lies alles aus den Händen fallen. Schnell hastete er hinein und trat dabei die Türe ein.

Was er vorfand waren die sterblichen Überreste der Kinder. An jeder erdenklichen Stelle des Raumes klebte Blut und aus einer Lache heraus floss es bis zu Franks Füßen. Weinend fiel er auf die Knie. Außer sich vor Wut zog er an seinen Haaren und fiel in tiefe Trauer. Später schloss er sich der Armee an und ging immer wieder zu dem Armenviertel, um den Kindern Essen und Trinken vorbei zu bringen. Als er sah, wie einige Soldaten sich über die Kinder hermachen wollten, zog er sein Schwert und schrie wutentbrannt: »Lasst die armen Kinder in Ruhe, ihr elendes Pack!«

Als Drank noch klein gewesen war, gingen seine Eltern eines Tages aus dem Haus und kehrten nie wieder zurück. Orientierungslos und alleingelassen trottete er durch die Straßen. Mit jedem Tag wurde er müder und hungriger. Am Ende seiner Kräfte angelangt, lehnte er sich gegen eine Hauswand und sank zu Boden. Um ihn herum war alles laut, Händler schrien und priesen ihre Waren an, Kinder rannten froh und munter durch die Straßen und Bürger erledigten ihre Einkäufe. Plötzlich bemerkte er, wie Wachen einen herumstreunenden Hund malträtierten, sie traten auf ihn ein und lachten dabei gehässig. »Lasst ihn in Ruhe!«, rief er ihnen erschöpft zu. Die Wachen hatten ihn zwar gehört, doch schenkten sie ihm keine Beachtung. Sie traten weiter auf den armen Hund ein und machten sich einen Spaß daraus. Der Hund heulte wie verrückt und jaulte lautstark. Drank streckte seine Arme in die Richtung der Stadtwachen aus: »Ihr sollt ihn in Ruhe lassen!« Zum ersten Mal zeigten sich seine Schatten. Sie schossen aus seinen Händen und durchbohrten die

Oberkörper der Wachen, die leblos zusammensackten. Alles wurde still. Jeder schaute ihn an. Verwundert über sich selbst und die Lage nicht begreifend, schaute er verwirrt zu den Menschen, die um ihn herumstanden.

»Hexer!«, schrie einer aus der Menge und die Stimmen wurden lauter. Wüste Beschimpfungen warfen sie ihm hinterher. Mit letzter Kraft stand er auf und versuchte zu rennen.

»Ich bin kein Hexer … bin doch noch ein Kind …«
Der Schatten verdichtete sich immer mehr und wurde kleiner.

»Was … was passiert mit ihnen, Izagun?«, fragte Kulaf nervös.

Izagun blickte mit seinem sanftmütigen Gesicht zu ihm. Seine perlweißen Augen strahlten und nachdem er Kulaf tief in die Augen geschaut hatte, drehte er seinen Kopf wieder den Schatten zu. »Kulaf, was ist Wasser?«

»Es ist klar und rein, so klar, dass man hindurchsehen kann.«

»Kulaf, in welcher Form begegnet uns das Böse?«

Kulaf war zwar klug für sein Alter, aber darauf fand er keine Antwort und verstummte. Ein anderer erhob seine Stimme. Es war Fulander. »Es kann uns in jeder Form begegnen. Mal sind es Menschen, die anderen Menschen schaden wollen, mal sind es Flüche von irgendwelchen Hexern. Doch das ultimative Böse …«

Kulaf unterbrach ihn.

»Apyllon!«, sagte er zähneknirschend.

Izagun verzog die Mundwinkel zu einem leichten Grinsen. »Nein, mein Junge, wir selbst sind es.«

Kulaf, dessen Zorn auf die Menschen ohnehin schon groß war, wurde zorniger und sein innerer Hass auf die Menschheit vergrößerte sich. Izagun schaute ihm noch mal tief in die Augen. »Apyllon gibt es, weil es die Menschen gibt.«

»Also sind sie an allem schuld, wenn es die Menschen nicht gäbe …«

»Würde es uns auch nicht geben.«

Kulaf verstand nicht, worauf er hinauswollte. Verwundert und verwirrt zugleich schaute er seinem Lehrmeister in die Augen. In ihm ging etwas Komisches vor. Er wusste nicht mehr weiter. Viele Fragen schossen ihm durch den Kopf. Fragen, deren Antworten ihm vorenthalten blieben.

»Wir wurden einst erschaffen, damit wir die Menschen beschützen, den Schatten verdrängen. Stattdessen verdrängten die Menschen irgendwann uns. Ja, einst waren wir mit den Menschen eng verbunden, ihr Schicksal ist auch das unsrige. Doch wir fingen an, uns immer weiter auseinander zu leben, vor Jahrhunderten trennten sich unsere Wege letztendlich. Und von den Unsrigen gab es immer weniger, denn auch das Licht weichte dem Schatten immer mehr«, fuhr Izagun fort.

Dem Tode geweiht lagen sie auf dem Boden, aber noch war ein Funken Leben in ihnen. Keuchend und mit leiser Stimme sagte Frank zu seinen Freunden:

»Olaf, Drank, nehmt meine Hände.«

Seine Freunde grinsten schmerzerfüllt. Ausgerechnet Frank, der Hitzigste unter ihnen, sagte dies. Als Zeichen ihrer Freundschaft reichten sie sich die Hände. Dies war das Letzte, was sie taten, bevor die Schatten um sie herum explosionsartig in den Himmel schossen. Kulaf, Izagun und Fulander wichen zurück, um nicht vom Windstoß erfasst zu werden.

»Was passiert mit ihnen?«, fragte der Kulaf.

»Wenn du in einen Brunnen, dessen Wasser glasklar ist, einen Tropfen schwarzes Gift hinzugibst, dann breitet es sich langsam aus, bis schließlich alles Wasser zu Gift wird«, antwortete Izagun.

Der Schattenstrahl, der bis in den Himmel ragte, wurde schmaler und Izaguns Gesichtsausdruck wurde ernster. Das schwarze Gefängnis löste sich auf und was sich nun vor ihnen befand, verschlug selbst Izagun den Atem.

Drei große, schattenhafte Kreaturen in schwarzen Umhängen schwebten über der Erde. Es war nichts Menschliches mehr an ihnen. Schwarze, eiserne Masken waren nun ihre Gesichter. Masken, die so furchteinflößend waren, dass selbst der eigentlich furchtlose Kulaf beim Anblick erschauderte. Ihre Hände, Arme und Beine waren ebenfalls mit schwarzem Eisen bedeckt. Nichts, was diese Kreaturen mit ihren eisernen Händen berührten, sollte weiterleben. In ihnen war nun kein Hauch von Leben, sie waren nur noch leere Hüllen, die Apyllon gehorchten. Ohne auch nur ein kleines Lebenszeichen von sich zu geben, waberten sie über den Boden: die neuen Fürsten Apyllons. Kulaf wollte sich Hals über Kopf auf sie stürzen, seinen

Kampfinstinkt konnte er nur schwer unterdrücken. Er wollte die Gelegenheit nutzen, jetzt wo sie nur vor sich hin schwebten. Fulander jedoch hielt ihn zurück, indem er ihn an seinen Schultern festhielt und zeitgleich finster die Gestalten beobachtete. Plötzlich fingen die leeren Augenlöcher grün zu leuchten an, und es schien so, als ob sich die Kreaturen in Bewegung setzen wollten. Izagun reagierte schnell und holte etwas sehr hell Leuchtendes aus seinem Gewand hervor. Es schimmerte so hell, dass Kulaf die Augen zusammenkniff, um nicht geblendet zu werden. Auch Fulander, der nicht sehen konnte, verzog das Gesicht, als ob auch er geblendet werden würde.

»Beim Licht Al-Mihars, ich verbanne euch! Geht! Geht und entweicht dem Licht! Ihr Diener Apyllons! Lebt im Nichts weiter, ohne Aussicht auf Licht und Wärme! Ihr seid nun leere Hüllen, gefüllt mit Apyllons Zorn und Boshaftigkeit! Wie die Nacht der Sonne weicht, so werdet ihr dem Licht weichen!«, schrie Izagun, dessen Stimme nun nicht mehr sanft und wie ein Wiegenlied klang. Kulaf konnte seine Neugier nicht unterdrücken und versuchte vergeblich die Augen zu öffnen, um wenigstens etwas vom Geschehen mitzubekommen. Fulander fing am ganzen Körper an zu zittern. Alles erhellte sich. Der gesamte Wald La-Hul schien weiß zu schimmern wie der Mond aus der Ferne. Die Fürsten Apyllons stießen ein schreckliches Geschrei aus. Der weiße Schimmer erfasste die drei und sie lösten sich auf. Nach einer Weile erhob

Izagun, der nun keuchend den steinartigen Gegenstand in seinem Umhang verschwinden ließ, die Stimme:

»Sie … sind fort«. Er hatte seine gesamte Energie aufgebraucht.

»Sind sie gestorben?«, wagte Kulaf zu fragen, während er langsam die Augen öffnete.

»Nein, etwas weitaus Schlimmeres ist ihnen widerfahren«, erwiderte Izagun, der nun langsam wieder an Kraft gewann.

»Was hast du mit ihnen gemacht?«, hakte der neugierige Junge nach.

»Sie wurden verbannt«, fügte Fulander ein.

»Ich habe sie nach Darfark verbannt.«

Kulaf riss, sobald der Name fiel, die Augen auf und war entsetzt. Fulander schien, tief in Gedanken versunken, jeden Moment in sich zusammenzubrechen. Eine finstere, dunkle Zeit war nun angebrochen. Seit Menschengedenken stand es noch nie so schlecht um die Menschen. Auf der Suche nach der Ewigkeit, fanden die drei Okkultisten etwas ganz anderes. Zwar waren sie nun unsterblich, doch waren sie zeitgleich auch tot und nicht mehr von dieser Welt. Sie konnten sich weder regen noch Gedanken fassen. Ihre Seelen waren nun Gefangene Apyllons.

Nimm an das Ewige, lass weg das Verwerfliche …

Der Schlüssel der Träume

Noxun starrte Emren verdutzt an. Nein, wahrlich war dies kein normaler Schlüssel, doch dass er so schnell auffliegen würde, hätte der Schwarze Wolf nicht gedacht. Mit den Gedanken ringend, ob er gestehen sollte, was es damit auf sich hatte oder doch nach einer Ausrede suchen sollte, sagte er stotternd:

»Dies… die… der Schlüssel …«

Emren, der ihm gespannt zuhörte, begriff, was er ihm sagen wollte. Er verstand mehr als das, obwohl Noxun nur vor sich hin stammelte. Seine Scharfsinnigkeit und sein Verstand glichen dem eines Taktikers, der mehr als hundert Schlachten geführt hatte.

»Dieser Schlüssel ist kein normaler Schlüssel«, beendete er Noxuns Satz und richtete sich auf. »Irgendwie habe ich es, seitdem ich ihn das erste Mal erblickt habe, geahnt und nach deiner Vision war es mir klar.«

Nachdenklich strich er mit der Hand über sein Kinn. »Ist er verhext? Hast du ihn irgendeinem dunklen Hexer entwendet? Was hast du damit vor?«, hakte er nach und sah ihn dabei scharf an.

»Weder noch«, antwortete Noxun leise. Er war sich nicht sicher, wie viel er preisgeben sollte. Es könnte ihm noch zum Verhängnis werden.

»Ja, ich höre. Erzähl weiter«, setzte Emren erwartungsvoll nach.

Noxun schaute verzweifelt und hilfesuchend durch den Raum. Danach fing er an, fast schon flüsternd zu reden. »Es war von Anfang an zum Scheitern verurteilt. Ein anderer wäre besser geeignet gewesen«, presste er die Worte mühselig zwischen seinen Lippen hervor.

»Was war von Anfang an zum Scheitern verurteilt?«, fragte Emren stirnrunzelnd nach.

Der Schwarze Wolf fing nun an, am ganzen Körper zu zittern. Schweißperlen liefen ihm die Stirn runter. So gebrochen wie er dasaß, tat er Emren ein wenig leid, der wiederum schweigend den Boden anstarrte. Stille trat ein, Stille, die ab und an durch einen Seufzer von Noxun durchbrochen wurde.

»Bitte, lass mich einfach gehen«, flehte Noxun Emren fast schon an. Dabei wirkte er wie in hilfloses Kind. Emren legte die Stirn in Falten und blickte trübselig zu ihm. Er sah ihm tief in die Augen und wendete dann seinen Blick ab und schüttelte den Kopf.

»Das muss eine schwere Last sein, es tut mir leid. Ich hätte dich nicht bedrängen dürfen. Für gewöhnlich interessieren mich weltliche Dinge nicht, ich weiß nicht, was in mich gefahren ist. Geh wohin es dich treibt«, sagte Emren einfühlsam.

Noxun blickte unglaubwürdig zu ihm, als hätte er sich nicht in seinen kühnsten Träumen hätte ausmalen können, dass er ihn ohne weiteres ziehen lässt. Irgendetwas ging nun im Kopf von Noxun vor sich, denn plötzlich sah es so aus, als hätte er einen Entschluss gefasst. Emren warf ihm einen argwöhnischen Blick zu. Der Schwarze Wolf richtete sich unter Schmerzen auf und nahm sein Schwert. Die Wunde an seinem

Rücken war noch nicht verheilt, deshalb war jede Bewegung mühselig und schmerzvoll. Langsam trat er vor bis zur Türe, bedankte sich und verabschiedete sich anschließend. Emren, der in die Leere starrte und gedankenverloren schien, nahm es überhaupt nicht wahr. Erst als die Türe sich schloss, und er durch das Geräusch aus seinen Gedanken entrissen wurde, fing er an, sich zu regen. Aber nun war es zu spät, um Antworten auf seine Fragen zu finden, Antworten, die Noxun hätte geben können. Eine ganz bestimmte Sache bereitete ihm noch reichlich Unbehagen: der Schlüssel.

Dieser eine Schlüssel weckte sein Interesse, welches er zuvor für alles andere verloren hatte. Nachdem seine Familie aus dieser Welt schied, hatte er sich keine Gedanken um andere gemacht, geschweige denn über die Welt, ob sie nun am Abgrund stand oder nicht, war ihm gleichgültig. Doch dass ein unscheinbarer Schlüssel plötzlich sein Interesse wecken würde, verblüffte selbst ihn. Geistesgegenwärtig hastete er zur Tür, um Noxun zurückzurufen. Doch als er die Türe öffnete, war niemand zu sehen, nur die wunderschönen Flammenbäume, die ihre Schönheit zum Besten gaben und die Wiese, deren Grashalme im Wind wiegten. Entrückt schaute er in die Ferne. Als er sich umdrehte, um wieder in seine Hütte zu gehen, sah er etwas auf dem Boden, das ihn grausen lies. Es war der Schlüssel zur Wahrheit, oder der Schlüssel zum Verderben, beide Bezeichnungen wurden der Sache gerecht. Noxun hatte ihn an die Türklinke gehangen. Nun lag er schimmernd auf dem Boden. Wieder hatte das Schicksal an den Fäden gezogen, ob zum Guten oder Schlechten würde sich noch zeigen. Zitternd wie Espenlaub neigte er sich zu dem Schlüssel, dann war sein Körper wie gelähmt.

»Was soll ich nur tun? Wohin ist er gegangen und warum hat er mir den Schlüssel überlassen?«,

Seinen Blick am Schlüssel heftend wartete er förmlich darauf, dass er auf irgendeine sonderbare Art zu ihm sprechen würde. Nichts dergleichen geschah. Mit einem Mal gab er sich schließlich einen Ruck und griff nach der Kette, woran der Schlüssel befestigt war. Er ließ sie durch die Hände gleiten, bis der Schlüssel vor seinem Gesicht baumelte.

»Du merkwürdiges Ding«, sprach er leise vor sich hin. »Ich weiß nicht, ob du irgendwelche magischen Fähigkeiten hast oder ob du verflucht bist, aber eines weiß ich sicher: meinen Geist, meine Seele wirst du nicht brechen.« Eine gefühlte Ewigkeit starrte er auf den Schlüssel, ohne auch nur eine Miene zu verziehen.

Langsam fing es an zu regnen und Wolken mit ominösen Formen verdunkelten den Himmel. Emren schaute zum Himmel, bevor er in seine Hütte eintrat. Müde war er geworden, als hätte er einen langen Marsch hinter sich, sein Gesicht wirkte kraftlos und alt. Den Schlüssel hing er sich um den Hals und legte sich auf sein Bett. Und wieder versank er in einem tiefen Meer aus Gedanken, die sich wie ein Wirbelwind um ihn drehten. Ans Schlafen konnte er nicht mehr denken. Was sollte er tun? Wer waren diese Elekuden wirklich? Wohin sollte er gehen? Selbst wenn er sich dazu entschließen würde, das zu vollenden, was Noxun nicht gelungen war, wusste er nicht, wo er anfangen sollte. All diese Sorgen bereiteten ihm ein unbehagliches Gefühl und immer wieder erschreckte ihn etwas, sodass er reflexartig nach dem Schlüssel griff und ihn fest umklammert hielt. Irgendwann aber überwältigte ihn die Müdigkeit, und er fiel in einen tiefen Schlaf.

In seinem Traum fand er sich in einem riesigen Wald wieder. Seltsame Pflanzen wucherten und als noch seltsamer empfand er es, dass deren Blüten in den verschiedensten Farben schimmerten. Die Dunkelheit der Nacht kämpfte vergeblich gegen das reine Licht des Mondes, welches die Nacht zum Tage machte. Im Hintergrund war das Plätschern von Wasser zu hören. Der Neugier nachgebend, ging er ein paar Schritte in die Richtung, aus der das Geräusch kam. Hinter einem flachen Hügel floss ein Bach, welcher Emren die Sprache verschlug.

»Wieso ... wieso fließt da weißes Wasser? Ist es der Mond, der meinen Augen einen Streich spielt?« Instinktiv ging er bis an das Ufer und schöpfte mit seiner Hand ein wenig von der Flüssigkeit. Nachdem er einen Schluck genommen hatte, verzog er das Gesicht:

»Das ... das ist Milch.«

Als hätte er ein Wundermittel getrunken, breitete sich ein warmes und sehr schönes Gefühl in seinem Körper aus. Glücksgefühle durchströmten ihn und all die Fragen, die Nervosität schienen hinfort geweht worden zu sein. Wahrlich war dies ein seltsamer Ort.

Wo hatten ihn seine Träume nur hingeführt? Die Antwort darauf wusste er nicht und zum ersten Mal wollte er es auch gar nicht wissen, denn langsam fing er an, sich wohlzufühlen. Weiße, rote, violette und grüne Glühwürmchen flogen in der Luft umher und führten einen lustigen Tanz auf. Tiere huschten von Baum zu Baum und hielten sich verdeckt, wahrscheinlich beobachteten sie ihren neuen Gast. Es ging aber keine Gefahr aus; von keinem dieser Wesen. Emren, dessen Intuition einmalig war, verspürte nicht einmal den Hauch von Gefahr. Wie gebannt ließ er die Umgebung auf sich einwirken.

Eine Stimme, die sehr sanft und sonor klang, sprach zu ihm. Noxun hätte die Stimme erkannt. Es war Izaguns Stimme. Nicht aber Emren, der nun zerstreut der Stimme horchte.

»Emren«, ertönte die Stimme, die aus jeder Richtung kam. »Ich möchte dich um etwas bitten.«

»Wer spricht da?«, entgegnete ihm Emren, dessen Glücksgefühle von eben schwanden.

»Ich bin Izagun der Weise, ein Elekude.«

»Dein Name ist mir fremd, Elekude. Ich weiß nicht, ob du Freund oder Feind bist oder eine Hexerei des Schlüssels.«

Die Stimme antwortete eine lange Zeit nicht mehr und auch sonst nahm er keine Geräusche mehr war. Alles wurde stumm. Dann hörte er sie wieder, aber diesmal undeutlich und so, als ob sie aus der Ferne kommen würde. Angestrengt versuchte er zu verstehen, was Izagun ihm mitteilen wollte. Um sein Gehör noch mehr zu verschärfen, schloss er die Augen und konzentrierte sich. Dies war eine Technik, die er mal von einem Jäger gelernt hatte. *»Je weniger du dich auf alle Sinne zeitgleich konzentrierst, desto stärker wird der eine Sinn, den du auswählst.«*

»Sind wir denn nicht alle Fremde auf diesem Planeten?«, sprach Izagun, dessen Stimme wieder deutlicher zu hören war.

Die Augen weiterhin fest verschlossen, dachte Emren über eine passende Antwort nach: »Nein sind wir nicht. Dieser Planet gehört jenen, die ihn bewohnen, nicht nur den Menschen, sondern allen Lebewesen.«

»Gesprochen wie ein Elekude«, lobte ihn Izagun, mit einem Hauch Heiterkeit in der Stimme.

»Ich weiß, dass dies nur ein Traum ist, aber sage mir, gibt es die Elekuden wirklich oder spielt mir der Schlüssel einen Streich, wie er es bei Noxun schon getan hat?«

»Im Wald La-Hul wirst du alle Antworten auf deine Fragen finden, vorausgesetzt du willst es. Mein Anliegen ist von höchster Dringlichkeit.«

Die Augen öffnend ging er ein paar Schritte hin und her und dachte nach. Danach verschränkte er die Arme und schaute entschlossen zum Mond.

»Der Wald La-Hul also, der Wald in dem zuvor auch Noxun war. Jetzt weiß ich auch, wonach er gesucht hat. Mir wird so langsam einiges klar, aber sag mir Izagun, ist es bei euch Brauch Besucher anzugreifen? Ich traue all dem nicht, das hört sich für mich nach einer Falle an«, legte Emren die Stirn voller Argwohn in Falten.

»Such nach mir«, antwortete Izagun ohne auf seine Zweifel einzugehen. Dann verebbte die Stimme.

»Ach ja, ich vergaß zu fragen, woher du meinen Namen kennst? Ich hatte ihn nie erwähnt.«

Keine Antwort. Zeitgleich erwachte er aus seinem Traum. Hastig richtete er sich auf und strich seine verwirbelten Haare zurecht. Mit den Händen sein Kinn stützend, dachte er wie viele Male zuvor ein weiteres Mal über etwas nach. Emren war anders als Noxun, reifer und raffinierter, seine Schritte waren immer gut durchdacht. Von waghalsigen Unterfangen hielt er nicht viel. Doch wie er es auch drehte und wendete, blieben ihm nur zwei Möglichkeiten. Die erste war die sicherste, er könnte den Schlüssel in den Fluss werfen und so tun, als sei nie etwas geschehen. Dadurch wäre die Welt dem Untergang geweiht. Über diesen Umstand war er sich aber zu diesem Zeitpunkt noch nicht bewusst. Die zweite Möglichkeit war tollkühn. Er müsste sich in den Wald La-Hul begeben und dort nach Izagun suchen. Keiner konnte ihm sagen, was ihn dort erwartete, darüber war er sich im Klaren, und deshalb war er davon auch nicht überzeugt. Irgendetwas jedoch entflammte in ihm, er konnte nicht sagen was es war, aber es zwang ihn dazu aufzubrechen. Er wirkte schwach und müde, all die geistigen Anstrengungen hatten ihm seine Energie gekostet. Es sah so aus, als ob seine Arme jeden Moment unter dem Gewicht seines Kopfes zusammenbrechen würden. Mit kehliger Stimme sprach er vor sich hin:

»Wirst du es wagen,
ob du Erfolg haben wirst oder nicht, kann dir
keiner sagen,
du kannst es versuchen,
vielleicht wird das Schicksal dich dafür verfluchen,
du kannst es aber auch schaffen,
Mut, Stolz und Scharfsinnigkeit sind deine Waffen.«

Der Weg ins Ungewisse

Am nächsten Morgen öffnete Emren entschlossen seine Augen, denn er hatte einen Entschluss gefasst, auch wenn es nicht seiner Natur entsprach. Er schob die von Noxun mit Blut befleckte Decke beiseite und richtete sich auf. Sein Schwert schob er in die Scheide, welche an seinem Gürtel befestigt war. Der Schlüssel baumelte während seiner Bewegungen an seinem Hals herum. Ein letztes Mal, bevor seine Reise begann, ließ er seinen Blick durch das Zimmer schweifen. Wohin genau ihn seine Reise führen würde, wusste er selbst nicht und trotz aller Entschlossenheit bereitete dieser Umstand ihm viel Unbehagen. Seine Augen wirkten plötzlich leer, so als ob ihm die Seele entzogen wurde. »*Ich weiß nicht, was es mit diesem Schlüssel auf sich hat. Ich weiß auch nicht, warum Noxun ihn hatte und wer er genau war. Der Fluss trieb ihn in meine Richtung. Ich wusste, dass er nichts Böses im Schilde führte, denn der Fluss hätte sonst anders reagiert. Sein Gewissen war rein und auch seine Absichten, doch dieser Schlüssel ... Er wirft Fragen auf, Fragen, auf die ich keine Antworten finde. Und dann höre ich Izagun in meinem Traum. Er hat nach mir gerufen, wollte mich um etwas bitten. Was es war, weiß ich bisher nicht, aber ich denke, es hat etwas mit diesem Schlüssel zu tun. Jener Schlüssel, der auch Noxun zum Verzweifeln brachte, wo ist er nur hin? Wieso hat er aufgegeben?*«

Er trat bis zur Türe vor und öffnete sie langsam, als ob sich etwas Schlimmes dahinter verbergen würde. Helle Sonnenstrahlen blendeten seine Augen, die sich noch nicht an das grelle Licht gewöhnt hatten. Danach trat er vor und schloss die Türe hinter sich zu, als ob es kein Zurück mehr geben würde.

»Das alles hier tue ich für dich, Anelia, und unsere Kinder«, sprach er wehmütig vor sich hin, ehe Zorn seinen Körper durchflutete. »Dieser verfluchte Orden des Lichts, verdammt seien sie! Sie haben euch mir weggenommen, unser Haus in Brand gesteckt. Es war ihnen gleich, ob Kinder oder Frauen dabei starben.« Nun umklammerte er sein Schwertheft. »Noch heute höre ich eure Schreie in meinen schlimmsten Albträumen. Ich konnte euch nicht helfen, ich war so machtlos, so … so kraftlos. Ich verlor meinen Lebenswillen. Ich verlor alles.«

Er hatte letzte Nacht nicht nur von Izagun geträumt und auch waren es nicht seine Worte gewesen, die ihn dazu brachten aufzubrechen und nach ihm zu suchen. Es war eine Aneinanderreihung von Geschehnissen: die Vision Noxuns und sein Bericht über die sterbenden Kinder, Emrens Kinder, die starben, und ein weiterer Traum in der letzten Nacht, in der er seine Frau wiedersah, waren die Auslöser.

Sie hatte ein weiß schimmerndes, jungfräulich wirkendes Kleid getragen. Ihre Haare waren blond gewesen, ein Blond, das mit der Sonne um die Wette gestrahlt hatte. Beide hatten sich gegenüber auf einer grünen Wiese gestanden, die unendlich weit gewirkt hatte. Sonst war niemand zu sehen gewesen.

»Emren, es ist nicht deine Schuld, dass wir starben.« hatte sie in seinem Traum gesprochen und er war in Tränen ausgebrochen. Er war auf die Knie gefallen und schluchzte laut.

»Bitte weine nicht, Liebster.« Emren, der kein Wort herausgebracht hatte, hatte sie unentwegt angeschaut. Danach war sie ebenfalls auf die Knie gesunken, hatte ihn in die Arme genommen und ihn tröstend gestreichelt. »Uns geht es gut«, hatte sie leise zu ihm gesagt, während sie ihn fest umarmte. Emren, der am ganzen Leib gezittert und noch mehr Tränen vergossen hatte, hatte es nicht geschafft, auch nur ein Wort auszusprechen.

»Hasse nicht die Welt für das, was der Orden getan hat.«

Emren hatte ihr trübsinnig in die Augen gesehen. Langsam hatte er seinen Mund geöffnet und versuchte zu reden wie ein Kind, das zum ersten Mal sprach.

»Was ... was soll ich sonst tun. Sie haben mir alles genommen«, hatte er geschluchzt.

»Wir sind doch immer bei dir, wir werden niemals fortgehen, solange du uns nicht vergisst.«

»Aber es tut so weh«, hatte Emren in seinem Traum geschrien. Er hatte sich ganz fest an seine Frau gedrückt und hätte sie am liebsten nie wieder losgelassen. »Dieser Schmerz, ich ertrage ihn nicht mehr. Bitte ... bitte lass diesen Traum niemals enden. Ich will für ewig hier sein, bei dir. Ich will nicht wieder zurück in diese schreckliche Welt.«

»Irgendwann werden wir alle wieder zusammen sein, deine Kinder, du und ich«, hatte sie aufmunternd gesagt. »Doch dieses Irgendwann ist nicht jetzt, Emren. Ich möchte dich um etwas bitten.« Sie hatte ihre Wange an seine Stirn geschmiegt. »Du musst aufbrechen Liebster, damit keine Familien mehr auseinandergerissen werden, damit keiner mehr leiden muss, damit keine Kinder mehr sterben müssen. Du musst diesen Orden aufhalten. Suche nach der Wahrheit, suche nach Izagun.«

Verwundert hatte Emren zu seiner Frau geblickt und seine Tränen zurückgehalten.

»Woher weißt du davon?«

»Ich sagte doch, ich bin immer bei dir, mein Geliebter.«

Danach hatten sie geschwiegen. Worte sind überflüssig gewesen. Fest umarmt hatten sie einander nicht losgelassen. Er hatte nicht gewusst, wo er sich befand, wo sie waren. Doch das war ihm völlig gleich gewesen. Für ihn hatte nur gezählt, dass er noch einmal seine Frau hatte sehen dürfen, sie umarmen und sie hatte spüren können. Das Glück war aber nur von kurzer Dauer gewesen.

»Es ist Zeit für mich zu gehen«, hatte Anelia gesagt und lockerte die Umarmung.

»Nein … nein … bitte nicht, lass mich nicht alleine«, hatte Emren voller Trauer gestammelt. »Bitte bleib hier.«

Sie war aufgestanden und war ein paar Schritte gelaufen, ehe sie sich umdrehte und Folgendes sagte:

»Trauere nicht um Vergangenes, rette die Gegenwart.«

Sie hatte am ganzen Körper geschimmert und schien sich langsam aufzulösen. Emren war zu ihr gehastet und wollte sie noch ein letztes Mal umarmen, ein letztes Mal ihren Atem spüren. Vergebens, sie war nicht mehr da gewesen. Verwirrt war er zusammengesackt und schrie: »Bleib hier, hier bei mir. Bitte.«

Danach war er mit Tränen überströmt aufgewacht und hatte versucht, das Geschehene zu verarbeiten.

Nun stand er da, bereit aufzubrechen. In solchen Momenten kommt einem alles unwirklich vor. Schließlich setzte er den ersten Schritt und brach auf, zu jenem Ort, den er bisher erfolgreich gemieden hatte. Unentwegt lief er Richtung Norden und das Gefälle stieg mit jedem Schritt leicht an. Der Wald La-Hul befand sich auf einer höher gelegenen, ebenen Fläche. Emren hatte keinen Proviant mitgenommen, ein Tagesmarsch würde reichen, um den besagten Wald zu erreichen. Um ihn herum wurden die Bäume dichter und der Boden unwegsamer, immer wieder hielt er an und lehnte sich an einen Baum, um sich kurz zu erholen. Er wollte nicht völlig erschöpft und ohne Atem im Wald La-Hul ankommen, denn er wusste nicht, welche Gefahren dort lauern könnten. Zudem wollte er diesem einen Elekuden nicht begegnen, der Noxun angegriffen hatte.

Um ihn herum ertönten immer wieder Laute. Laute, die er keinem Tier oder Wesen zuordnen konnte. Seine Hand glitt immer wieder zum Schwertheft, bereit anzugreifen. Allerdings vermied er Kämpfe, wenn sie nicht nötig waren. Der Marsch verlief seit einigen Stunden ereignislos. An einem kleinen Rinnsal, welches bergab floss, stillte er seinen Durst, sein Magen blieb trotzdem einstweilen leer. Er hatte sich erhofft, unterwegs etwas jagen zu können, aber er sah weit und breit keine Tiere. Er vernahm nur deren eigenartige Laute, die bei ihm ein unbehagliches Gefühl hervorriefen. Aber dann fiel ihm der Bach aus Milch ein, und er musste an das schöne Gefühl, das ihn durchströmt hatte, denken und fragte sich, ob es diesen Bach tatsächlich gab. Dieser Gedanke munterte ihn ein wenig auf.

Seine Schritte wurden langsamer und schwerfälliger, denn es ging nun steiler bergauf, bis er einen Hügel erreichte und sich vor ihm der Wald erstreckte mit seinen riesigen Bäumen.

Die Sonne war fast untergegangen und hüllte nun alles in ein helles Orange. Emren war nun an der Grenze zum Wald angelangt. Er überlegte, ob er den Wald nach Sonnenuntergang noch betreten sollte.

»Ich könnte hier einen Tag lang rasten und mich am nächsten Morgen in den Wald begeben. Aber Izagun sagte, sein Anliegen sei von höchster Dringlichkeit«, dachte er sich. Unentschlossen stand er da, die Arme verschränkt stierte er in den Wald hinein. Die schimmernden Blüten waren ihm zuvor nicht aufgefallen. Jetzt, da die Abenddämmerung eingetreten war, sah er sie funkeln und plötzlich, als hätte ihm jemand von hinten einen leichten Stoß gegeben, lief er drauf los und setzte seine ersten Schritte in den Wald

La-Hul. Seine Sinne waren nun geschärft, seine Instinkte sagten ihm, dass hinter jeder Ecke, hinter jedem Baum, Gefahr lauern könnte. Gleichzeitig schaute er sich verwirrt um. Auf einmal wurde es dunkler, viel zu schnell, wie er dachte. Die Sonne hätte noch für mindestens eine Stunde scheinen müssen. Genau in dem Augenblick, als er sich eine Gravur auf einer Baumrinde genauer ansah, vernahm er ein röchelndes Geräusch, das mit jeder Sekunde lauter wurde, und als er sich umdrehte, sah er das Wesen, von dem das Geräusch ausging. Es schwebte langsam auf ihn zu. Rasselnde Geräusche kamen nun aus seinem Mund und es streckte seinen dünnen Arm nach Emren aus. Emren zog sein Schwert aus der Scheide und hob es schützend vor sich. Die Kreatur wich zurück.

»Ein Karazdan«, gab Emren abschätzig von sich.

Einige Krieger, die ihren Blutdurst nicht stillen konnten und nach noch mehr Macht strebten, machten von Dingen Gebrauch, die sie lieber unberührt hätten lassen sollen. Artefakte von Hexern hatten noch nie Glück gebracht, doch die Menschen interessierte das nicht. Der eine lechzte nach mehr Macht, der andere nach noch mehr Reichtum und immer dann, wenn sie so besessen davon waren, dass sie keinen anderen Gedanken mehr fassen konnten, tauchte Karaini auf, ein böser Hexer. Es gab nur vage Vermutungen, was sein Äußeres betraf. Manch einer sagte, er sei über drei Meter groß und trage einen Schädel, der sein Gesicht verdecke. Karaini selbst griff die Menschen niemals an. Er gab ihnen, wonach sie trachteten und machte sie so zu willenlosen Dienern und ergötzte sich daran, wie sie unschuldige Menschen abschlachteten. Keiner kannte die genauen Ziele des Hexers. Nur eine Handvoll Krieger, so heißt es, sind ihm begegnet. Er gab ihnen verschiedene Artefakte, die er selbst verhext hatte und täuschte sie dadurch, dass er ihnen mehr Macht versprach. Und eben diese Menschen wurden zu einem Karazdan. Es waren hagere Gestalten, ihre Haut war pechschwarz wie die Finsternis, die Augenhöhlen leer und so tief wie endlose Löcher. Ihre Glieder waren dünn und lang und ihr Gesicht ähnelte mehr dem Abbild eines Totenschädels als dem eines Menschen. Es sah so aus, als ob ein Stück Haut über einen Schädel gezogen wurde, und ihr Körper war von einem schwarzen Umhang verdeckt. Als wäre das nicht genug, verhöhnte der Hexer seine Diener dadurch, dass er jedem eine kleine Krone aufsetzte.

Ihr wolltet mehr Macht,
mach schnell, sagtet ihr, bevor es wird Nacht,
an die Folgen hattet ihr nicht gedacht,
ihr wurdet gewarnt, doch habt nur darüber gelacht,
jetzt bin ich derjenige, der lacht.

»Elender Hund! Hattest du denn kein bisschen Stolz in dir?«, blaffte Emren. Doch die Gestalt konnte nicht antworten. Sie konnte weder Gedanken fassen noch sich an ihr altes Ego erinnern. Die Gestalt gab nur rasselnde Geräusche von sich. Aber dann streckte dieses abscheuliche Wesen einen Arm unter seinem Umhang hervor und zog ein verschlissenes, rostiges Schwert. Emrens Muskeln waren gespannt, er wartete auf den ersten Schlag und hielt noch ein wenig Abstand. »Ich werde deine Krone zerschmettern und dich in die endlose Leere befördern.«

Diese Wesen hatten durch ihre Verwandlung in einen Karazdan zwar an mehr Macht gewonnen, allerdings hatten sie auch eine Schwachstelle. Die Krone, die ihnen als Verspottung aufgesetzt wurde, war gleichzeitig ihr wunder Punkt. Wenn man es schaffte, die Krone auf ihren Köpfen zu zerstören, würde man siegen.

Der Kampf begann. Der Karazdan holte mit seinen dünnen Armen zum Schlag aus und Emren parierte, er wurde dabei zurückgedrängt. Er hatte es zuvor noch nie mit einem Karazdan zu tun gehabt und wusste nicht, wie viel Kraft diese Wesen hatten. Er kannte sie nur aus Erzählungen, die von Generation zu Generation weitergegeben wurden. Emren versuchte ihm die Krone vom Kopf zu schlagen, dies gelang ihm nicht, die Reichweite seines Armes reichte nicht bis an den Kopf des Karazdans. Beim Versuch, die Krone von seinem Kopf zu schlagen, hätte ihn der Karazdan fast erwischt. Emren rettete sich in letzter Sekunde mit einem geschickten Ausweichmanöver. Danach hielt der Karazdan eine Zeitlang inne und starrte mit seinen leeren Augenhöhlen ins Nichts. Emren wurde stutzig, seine Instinkte sagten ihm, er solle die Gelegenheit nutzen und angreifen, sein Verstand aber hinderte ihn daran. Der Karazdan fing nun an laute, rasselnde Geräusche von sich zu geben und attackierte Emren mit heftigeren Schlägen als zuvor. Emren geriet immer mehr ins Schwanken und musste mit jedem Hieb weiter zurückweichen. Ein ganzes Stück von einer Eiche riss ab, als Emren einem Hieb auswich und der Karazdan die Eiche statt ihn erwischte.

Das wilde Gefuchtel mit den Schwertern und die krachenden Geräusche, die auftreten, wenn Stahl auf Stahl trifft, ließen die Vögel aufscheuchen. Ein erbitterter Kampf ging von statten, ein Kampf um Leben und Tod. Das Gefecht wurde mit jeder Sekunde aussichtsloser für Emren, dessen war er sich bewusst.

»*Verdammt, ich muss fliehen, ich komme nicht gegen ihn an.*« Entschlossen rannte er tiefer in den Wald und blickte ein paar Mal nach hinten, um nachzusehen, ob der Karazdan die Verfolgung aufnahm. Nach einer Weile blieb er stehen, um zu Atem zu kommen. Weit und breit war das Wesen nicht mehr zu sehen. Als er erleichtert aufatmen wollte, sah er aus dem Augenwinkel einen Schwerthieb, welcher geradewegs seinen Hals durchtrennt hätte, wenn er nicht geistesgegenwärtig ausgewichen wäre. Sein Schwert fiel ihm bei diesem Manöver aus der Hand. Er geriet dadurch ins Stolpern und fiel zu Boden. Wie die Maus in der Falle, wie ein wehrloses Tier, das in die Enge getrieben wurde, starrte er seinen Widersacher mit Todesängsten an. Der willenlose Diener schwebte langsam auf ihn zu und Emren, der immer noch auf dem Boden lag, krabbelte rücklings bis ein Baum seinen Weg versperrte. Er saß nun mit dem Rücken zum Baum und die Kreatur flatterte langsam zu ihm, sein Schwert war außer Reichweite, und er verlor nun das letzte bisschen Hoffnung. »*Das also ist mein Ende.*«

Der Karazdan hatte offensichtlich Spaß daran, die aussichtslose Situation in die Länge zu ziehen und wurde übermütig. Er beugte sich nun langsam zu ihm, um ihm den Gnadenstoß zu versetzen. Emren stand das Entsetzen ins Gesicht geschrieben. Es gab keinen Ausweg mehr, hier war alles zu Ende. Noch bevor er auf all die Fragen eine Antwort finden konnte, musste er sterben. Einerseits war er froh, er konnte nun endlich zu seiner Familie zurückkehren, aber andererseits …

Noch bevor sein Gehirn irgendetwas in Bruchteilen einer Sekunde verarbeiten konnte, noch bevor er auch nur sah, was hätte geschehen sollen, war es sein Körper, der fast schon übermenschlich schnell reagierte und ihm dazu verhalf, auszuweichen. Der Karazdan erwischte wieder einmal einen Baum und sein rostiges Schwert wurde mit so einer Wucht in das Holz gerammt, dass es bis zur Hälfte stecken blieb. Emren, der blitzartig mit seinem Körper nach links geschwenkt war, sah nun etwas, dass er sich nicht einmal in seinen kühnsten Träumen hätte ausmalen können. Er sah ein Kurzschwert, auf dessen Scheide ein Wolf zu sehen war. Es war das Schwert von Noxun, der es zuvor hiergelassen hatte, um seine Last zu verringern. Ohne viel darüber nachzudenken, zog er das Schwert und zerschmetterte die Krone des Karazdans, welcher damit beschäftigt war, seine Waffe aus dem Stamm zu ziehen. Die Krone zersplitterte wie ein Glas, das zu Boden fiel. Der Diener Karainis erstarrte einen Moment und löste sich dann lautlos auf wie ein Nebel, der hinfort geweht wurde.

Emren schaute verdutzt umher und versuchte, das Geschehene zu verarbeiten. Es war wohl keine so gute Idee gewesen, nach Sonnenuntergang den Wald zu betreten. Seine Hand, in dem er das Schwert hielt, zitterte und langsam fing er an, die Schwertscheide zu betrachten.

»Das ist das Symbol des Königshauses«, sprach er vor sich hin, »was sucht dieses Schwert hier?«.

Diese Frage ließ ihn an nichts anderes mehr denken, immer wieder blickte er fragend in den Wald, als ob er eine Antwort aus dem Nichts erwarten würde. Er versuchte logisch zu schlussfolgern:

»Die Klinge liegt noch nicht lange hier, sie ließ sich geschmeidig aus der Scheide ziehen«, dann betrachtete er den heulenden Wolf, »der König wurde schon vor Jahren gestürzt und mir ist nicht bekannt, dass er noch lebende Nachfahren hat. Seine zwei Söhne sind in jungen Jahren verstorben, seine Frau wurde ebenfalls ermordet, aber …«

Das Schwert vor sich haltend fuhr er fort: »Kann es sein, dass Diebe es hier verloren haben? Nein, nein, das kann nicht sein, hier an diesen Ort kommt keiner freiwillig hin, nicht einmal die rabiatesten Räuber, nur Hexer oder Wahnsinnige. Oder jene, die …«

Er unterbrach sich und schaute erschrocken auf den Boden.

»Oder jene, die hier etwas zu erledigen haben. Hexer und Wahnsinnige können mit diesem Schwert nicht viel anfangen, aber …« unterbrach er seinen Monolog und blickte verdattert auf das Schwert: »Noxun.«

»Nein, nein, nein … das … das kann nicht sein«, stammelte er und stand auf, »obwohl er so wirkte, als würde er nicht nur das Geheimnis um den Schlüssel hüten. Ich muss diesen Izagun und Antworten auf meine Fragen finden. Irgendwas ist im Wandel und mein Gefühl sagt mir, es ist nichts Gutes.«

Er steckte das Schwert in die Scheide und ging langsam und entschlossen noch tiefer in den Wald. Ihn beschäftigten nun mehr Fragen als vorher. Auf der Suche nach Antworten fand er nämlich nur noch mehr Fragen. Fragen, auf die, wie er hoffte, Izagun der Weise eine Antwort haben wird.

Emren lief in keine bestimmte Richtung. In der Hoffnung früher oder später auf einen Elekuden zu treffen und ihn dann zu konfrontieren, trottete er dahin. Ihm war bewusst, dass es nicht nur ein Elekude sein könnte, auf den er treffen könnte. Keiner hätte ihm genau sagen können, welche Gefahren im Wald noch lauern würden, doch dass seine Reise nicht ungefährlich sein würde, war ihm bewusst.

Schritt um Schritt setzte er seine Reise fort, ohne Anzeichen von einem Elekuden, nur die Tiere und Lebewesen, die umher huschten, belebten den Wald. So langsam verlor er die Hoffnung und wurde müde. Selbst die Schriften und Gravuren auf den Baumrinden interessierten ihn nicht mehr. An einer Lichtung machte er Halt. Es war nun stockfinster geworden und er wusste ohnehin nicht, wohin er ging.

Kraftlos und erschöpft suchte er nach ein paar trockenen Holzstücken, die auf dem Boden lagen und entzündete ein Feuer. Sein Magen knurrte, doch die

Fragen beschäftigten ihn einstweilen mehr, sie kosteten ihn alle Kraft. Verständlich, man sucht nach etwas und weiß nicht genau warum.

Langsam sank er zu Boden und setzte sich auf einen kleinen Felsen, die Hände steckte er aus und wärmte sie am Feuer. Nach einer Weile starrte er unentwegt in die Flammen, die behaglich knisterten. Für einen kurzen Augenblick hörte er die Schreie seiner Familie, die bei lebendigem Leibe verbrannt wurden und zuckte zusammen. Doch plötzlich hörte er die Sehne eines Bogens, die bis zum Zerreißen gespannt war, wie sie es auch schon zuvor bei Noxun war. Und genau dieselbe Stimme, in derselben Tonlage, die auch zu Noxun gesprochen hatte, sprach Folgendes:

»Dies ist ein heiliger Ort, Fremdling. Was führt dich zu uns?«

Die Suche nach dem Nichts

Während Emren vor sich hin starrte, ging Noxun ächzend ein paar Schritte vorwärts bis zur Türe, bedankte sich und trat hinaus ins Freie und schloss die Türe hinter sich. *»Diese Verantwortung, all dieses Leid, ich ... ich kann es nicht ertragen, ich kann diese Last nicht noch länger auf meinen Schultern tragen. Vater, warum hast du mich in so jungen Jahren weggegeben? War es, weil mein älterer Bruder einer Intrige zum Opfer fiel? Hattest du Angst, mich könne dasselbe Schicksal ereilen? Aber warum, warum habe ich erst nach deinem Tod erfahren, wer du wirklich bist? Wieso wurde ich im Irrglauben gelassen, mein Vater sei schon bei meiner Geburt tot gewesen? Wolltest du denn nicht, dass ich dein Thronfolger werde? Ein unseliges Erbe, das ich antreten muss ...«*

Emren und Noxun schossen unzählige Gedanken durch den Kopf, Gedanken, die ihnen beinahe den Verstand geraubt hätten. Sie waren kurz davor, wahnsinnig zu werden. Und dann, ohne groß darüber nachzudenken, zog er seinen Schlüssel samt der Kette über seinen Kopf und hängte ihn an die Türklinke. Es fühlte sich an, als wäre eine Riesenlast von seinen Schultern genommen worden, und er atmete tief durch. Während er weglief, zögerte er kurz und war kurzzeitig der Versuchung erlegen, wieder umzukehren. Ihm wurde die Verantwortung übertragen, ihm wurde gesagt, er solle die Wahrheit finden und sein

Königreich aus den Fängen des scheinbar „Guten" befreien. Der rechtmäßige Thronfolger, von dem keiner wusste, dass er noch lebte, sollte auf seinem Thron sitzen. All diese Dinge wollte er Emren erzählen, in der Hoffnung, er könne ihm helfen, aber er zögerte, weil er nicht genau wusste, ob er ihm trauen konnte oder ob Emren ihn für einen Schwindler halten würde.

Als er bemerkte, dass Emren die Tür öffnete, versteckte er sich hinter einem Fächerahorn, dessen rubinrote Blätter schöner schimmerten als der schönste Edelstein. Seine Neugier zwang ihn zu bleiben und zuzusehen, wie Emren reagierte, allerdings wollte er auch nicht in Versuchung geraten, einen Rückzieher zu machen.

»Ich sollte besser leise von dannen ziehen, ohne dass er mich bemerkt.«

Große Gewitterwolken verdunkelten den Himmel, Gewitterwolken, die so aussahen wie Schlangen, die sich ineinander schlängelten und somit groteske Formen annahmen. Schließlich begann er die ersten Schritte zu setzen und lief in Richtung des Gewissensflusses; zu jenem Fluss, an dem einst Emren sein Leben rettete. Er war nicht weit weg von seinem jetzigen Standort.

Dort angekommen war er komplett durchnässt. Es hatte begonnen zu regnen und der Boden war matschig. Ungeachtet dessen setzte er seine Reise mit behäbigen Schritten fort. Obwohl es in Strömen regnete, floss der Fluss sanft. Erst als der Schwarze Wolf einen

Fuß in den Fluss setzte, welcher bis zu seinem Knöchel reichte, wurden die Strömungen stärker und der Fluss wurde unruhiger.

»Der Fluss ist genauso aufgewühlt wie ich«, flüsterte er geistesabwesend.

Somit entschied er sich zu warten und setzte sich auf den feuchten Boden. Sobald er seinen Fuß aus dem Wasser zog, beruhigte sich der Fluss. Die Regentropfen tröpfelten von seinen Haaren hinab auf sein Gesicht, und er schloss seine Augen, ihm war alles gleich.

Entlang des Flusses am Ufer tummelten die verschiedensten Tiere, es fiepste und es zischte laut hinter irgendwelchen Büschen im Verborgenen. Froschähnliche Tiere, die auf beiden Beinen gingen, Schlangen, deren Hautmuster merkwürdige Symbole zeigten und andere seltsame Wesen, die er nicht zu Gesicht bekam, weil er seine Augen verschlossen hielt.

Etwas später ließ der Regen nach und er öffnete seine Augen. Wie es schien, hatte er nun klarere Gedanken gefasst, ob nur für den Augenblick, um den Fluss überqueren zu können oder für längere Zeit, war ihm nicht anzusehen. Weder wusste er, wohin er gehen noch wohin es ihn treiben würde. Er wusste nur, dass er nicht mehr zurückkehren wollte. Weg vom Schlüssel, weg von all dem, wovon er ohnehin nichts verstand. Elekuden, Hexer, der Orden, all dies war ihm gleich. Wie einst Emren, wollte auch er sich irgendwohin auf einem unbewohnten Fleck zurückziehen und vor sich hinleben, ungeachtet dessen, was auf der Welt vor sich ging.

Wieder setzte er seine Füße in den Fluss und diesmal gerict dieser dadurch nicht in Wallung. Das Wasser war so sauber und klar, dass man bis zum Grund sehen konnte. Am anderen Ufer angekommen starrte er in alle Himmelsrichtungen und überlegte, wohin er gehen sollte. Nordöstlich war das Königreich Nefalurin und aufgrund der Geschehnisse wollte er diesen Weg meiden, weiter südlich befand sich das Königreich Kemmhold, welches einst ein enger Verbündeter seiner Vorfahren gewesen war. Nach langem Überlegen entschloss er sich nach Kemmhold zu gehen. Dem König dieses Reiches sagte man zwar nichts Gutes nach, dennoch entschied er sich dort einstweilen sein unerfülltes Leben fortzuführen. Nach Nefalurin konnte er schließlich nicht mehr zurück, zu groß war die Gefahr als Thronfolger aufzufliegen und in die Hände der Aristokraten zu fallen. Weiter im Südosten waren die Mustakas, unheimliche Menschen, über die man zu wenig wusste. Sie galten als heimtückisch und brutal. Ihm blieb nur das Königreich Kemmhold als letzter Zufluchtsort.

Jetzt, da alle Last von seinen Schultern gefallen war, fühlte er sich leer und ohne Erfüllung, wie ein schöner Brunnen, aus dem kein Wasser sprudelte. Die Landschaft war weitestgehend eben und überschaubar, nur flache Hügel verdeckten an einigen Stellen die Sicht in die Ferne. Fichten und Kastanien wuchsen an einigen Stellen, ihre Blätter schimmerten zwar nicht, doch jetzt, da die Sonne unterging und ihre letzten Strahlen alles in ein grelles Rot hüllten, schien es so, als ob die goldbraunen Blätter leuchteten.

Minute um Minute, Stunde um Stunde lief er unentwegt Richtung Süden bis es dunkel wurde und nur noch der Mond zu sehen war, der den Weg eher kümmerlich beleuchtete. In dieser Nacht schien der Mond nicht so hell wie sonst und wirkte sehr fern. Immer wieder seufzte er laut und sah zum Mond. Irgendwann blieb er stehen. Müde und erschöpft ließ er sich am Wegesrand zu Boden sinken und lehnte sich an einen Ahorn, dessen Blätter vom Wind raschelten. Ganz in der Nähe, weiter im Westen, lagen die Ruinen des Königreichs Daw, die jetzt Räubern und anderen zwielichtigen Gestalten als Unterschlupf dienten. Unbeeindruckt schloss er seine müden Augen und wollte einschlafen. Immer wieder wurde er durch ein Geräusch geweckt, das sich so anhörte, wie die Töne einer Oud. Die Geräusche ertönten manchmal aus weiter Ferne und manchmal aus nächster Nähe. Aufgewühlt spähte er in jede Richtung. Als er nichts ausfindig machen konnte, legte er sich wieder hin und fiel in einen so tiefen Schlaf, dass selbst die Kriegshörner Nefalurins ihn nicht hätten wecken können.

Als er am nächsten Morgen die Augen öffnete, griff er blitzartig zu seinem Schwert und zog es aus der Scheide. Nachdem er merkte, dass er nur einen schlechten Traum gehabt hatte, packte er es sofort wieder weg. Dann ertönte ein scharrendes Geräusch und plötzlich wie aus dem Nichts stand ein Pferd vor ihm, dessen Reiter, ein alter kahlköpfiger Mann mit weißem Ziegenbart, ihn anstierte und mit ruhiger fast schon hypnotisierender Stimme Folgendes sagte: »Kein guter Ort, um ein Nickerchen zu halten, nein, wahrlich kein guter Ort«, dabei schüttelte er seinen Kopf. Sein Pferd wieherte nervös, als ob jeden Augenblick etwas Unvorhergesehenes passieren könnte.

»Wer seid Ihr, alter Mann?«

Der alte Mann lachte verlegen: »Ein Händler, sieht man das denn nicht?«, dabei deutete er auf das viele Gepäck auf dem Hinterteil des Pferdes. Noxun warf ihm einen etwas irritierten Blick zu und wusste nicht, wie er das alles deuten sollte.

»Na, dann wünsche ich Euch noch eine gute Reise, werter Herr«, sagte Noxun und versuchte ihn mit dieser Floskel abzuwimmeln.

»Wohin führt dich denn deine Reise?«, erwiderte der alte Mann mit betörender Stimme.

»Meine … meine Reise …«

»Ja, deine Reise«, dabei grinste der ominöse Händler schelmisch.

»Ich … ich weiß es nicht. Und die Eure?«

»Ins Nichts.«

Das Gespräch verlief plötzlich merkwürdig, der Greis fand Gefallen daran, Noxun jedoch verwirrte es immer mehr.

»Ich … ich verstehe nicht«, stammelte Noxun.

»Es gibt so Manches, das du nicht verstehst«, antwortete der Mann warmherzig.

»Findet Ihr Gefallen daran, junge Männer noch mehr zu verwirren, als sie es ohnehin schon sind«, entgegnete ihm Noxun lachend. Er wusste nicht warum, aber irgendwie fand er ihn liebenswürdig. Die wei-

chen unschuldigen Gesichtszüge des alten Mannes be-
stärkten dieses Gefühl, er hatte weiße, buschige Augenbrauen, die plötzlich zusammenzuckten.

»Was ist los, alter Mann?«

Hinter dem Händler, auf einem flachen grasbe-
wachsenen Hügel, wühlte sich die Erde auf. Dann sah
man dunkelbraune Wurzeln, an denen die Erde teil-
weise noch haftete. Kleine Hände versuchten sich aus
der Erde zu ziehen. Krächzend zog sich eine Schar ab-
sonderlicher Wesen an die Erdoberfläche, kleine, aus
verflochtenen Wurzeln, bestehende Wesen, dessen
honiggelbe Augen boshaft glänzten. Radix nannte
man diese Kreaturen. Sie konnten einem Menschen,
der ein Schwert einigermaßen führen konnte, nicht gefährlich werden.

Während sie wild kreischend auf den alten Mann
zustürmten, kullerte mit jedem Schritt die Erde von
ihren Körpern herab.

»Alter Mann! Da stürmt eine Schar Radix auf Euch
zu«, schrie Noxun aufgebracht und richtete sich auf
während er zu seiner Waffe griff.

Der Händler hingegen stieg anmutig und zugleich
herzlich lachend von seinem Sattel und machte eine
stoppende Handbewegung zu Noxun. Er stand mit
dem Rücken zu den Kreaturen und machte keine Anstalten, sich umzudrehen, während die Radix mit
schrillen Schreien immer näherkamen und kurz davor
waren, ihn zu erreichen.

»Sie sind hinter Euch! Vorsicht!«, warnte ihn
Noxun und wollte zu ihm eilen.

Blitzartig zog der Mann ein Schwert, welches am Sattel befestigt war und mit demselben Streich köpfte er die Kreaturen allesamt. Die Radix' sackten leblos zusammen und wirkten nur noch wie gewöhnliche Wurzeln, die aus der Erde gezogen worden waren. Verblüfft schaute Noxun den alten Mann an. Das Geschehene verarbeitend, wanderte sein Blick zwischen dem Greis und den leblosen Wurzeln hin und her.

»Ihr wisst, wie man mit einem Schwert umgeht«, brachte er nach einer Weile hervor.

»Nun ja, ich habe ja auch nie gesagt, ich könnte es nicht«, belehrte ihn der Greis.

»Durch den Zwischenfall konnte ich nicht fragen, sagt mir Herr, wie lautet Euer Name?«

»Ariz, Ariz der graue Vogel nennt man mich«

»Mein Name ist …«, noch ehe Noxun aussprechen konnte, unterbrach ihn Ariz.

»Ich weiß, wer du bist, Schwarzer Wolf«

Noxun fuhr zusammen. Wer war dieser alte Mann, der sich als Händler ausgab, und woher wusste er, dass man ihn so nannte? Es gab nur sehr wenige Personen, die Bescheid wussten, bis vor kurzem wusste sogar er selbst von nichts. Dies beunruhigte ihn zusehends.

»Du bist der Thronfolger Noktrins«, fuhr Ariz fort.

»Woher … woher wisst Ihr das?«

»Die Vögel haben es mir gezwitschert«, kicherte Ariz.

Stirnrunzelnd steckte Noxun sein Schwert weg, welches er immer noch in den Händen hielt. Die Sonne lugte hinter den Wolken hervor, ein schöner Sommermorgen brach an und aus heiterem Himmel flog eine große pechschwarze Krähe in ihre Richtung. Sie befand sich im Sinkflug, ehe sie auf der Schulter von Ariz landete.

»Und das hier ist mein Freund, Krexi.«

Die Krähe weitete seine mächtigen Flügel aus, so als ob sie sich brüsten wolle.

»Die Vögel haben es dir also gezwitschert«, wiederholte Noxun argwöhnisch das Gesagte.

»Eigentlich habe ich den heulenden Wolf auf deiner Schwertscheide gesehen, aber ich hätte es auch so gewusst, ohne dass ich gewusst hätte, dass ich es weiß. Oje, ich klinge schon fast, wie mein alter Freund«, lachte der Mann herzhaft.

Hastig versuchte er seine Schwertscheide unter seinem Umhang zu verstecken, bis er merkte, dass jede Mühe umsonst, und er ohnehin schon aufgeflogen war. Ariz steckte sein Schwert ebenfalls weg und setzte sich auf sein Pferd.

»Du solltest nicht hier sein, Schwarzer Wolf, nicht hier. Und ich vermisse etwas an dir«, sagte er schwermütig seufzend. Sein Pferd begann nun langsam zu traben.

»Was meint Ihr? Wo sollte ich sein? Was vermisst Ihr an mir? Werft nicht noch mehr Fragen auf, alter Mann, nicht mehr, als ich verkraften kann.«

Der graue Vogel ging nicht darauf ein und trabte weiter in die Richtung aus der Noxun eine Nacht zuvor gekommen war. Als er nur noch in Hörweite war schrie Noxun: »Wohin geht Ihr?«

»Richtung Norden, an jenen Ort, an dem die Blätter schimmern«, rief er zurück und verschwand am Horizont.

»Richtung Norden? Wo die Blätter schimmern?«, wiederholte Noxun und überlegte wild. Und dann, wütend auf sich selbst, dass er nicht schon eher draufgekommen war, sprach er ehrfürchtig die Worte, »Der Wald La-Hul.«

Innerlich zog es ihn zurück in den Wald. Eine Stimme in seinem Kopf sagte immer wieder, dass er kehrtmachen und seine Reise mit dem Schlüssel fortführen sollte, doch er verdrängte die Stimme.

Bis zum Königreich Kemmhold würde er noch zwei Nächte brauchen, da er aber nicht in Eile war, lief er langsam gen Süden. Seine Wunde war zu seiner Überraschung komplett verheilt, ungläubig tastete er seinen Rücken ab, weder Narbe noch Wunde waren zu spüren.

Nach einiger Zeit überkamen ihn Hunger und Durst und da er kein Proviant bei sich hatte, beschloss er abseits der Straße nach etwas Essbarem Ausschau zu halten. Immer wieder ertönten die schönen Klänge einer Oud, die er eine Nacht zuvor schon gehört hatte. Er beschloss, nicht mehr darauf zu achten, da er vermutete, seine Sinne würden ihm einen Streich spielen. Hinter einem Gebüsch meinte er ein Eichhörnchen gesehen zu haben, als er aber nachschaute, fand er nichts vor. Auf einer Weide setzte er die Suche nach etwas Essbarem fort, doch auch diese Anstrengung war vergebens. Müde und erschöpft legte er sich in den Schatten, den ihm ein Baum spendete. Seinen Kopf auf die

Brust gesenkt wie ein Neugeborenes, das aus eigener Kraft nicht den Kopf heben kann, döste er ein. Nicht wissend, ob er die Kraft aufbringen würde, um bis nach Kemmhold zu kommen, lag er da, ohne Hoffnung, ohne Kraft und ohne einen Funken Lebenswillen. Und gerade in dieser aussichtslosen Lage ertönte wieder die Oud. Sie ertönte nun aus nächster Nähe, aus Westen, um genau zu sein. Aus der Richtung, wo einst die Mauern des Königreiches Daw standen. Halbwach und mit viel Anstrengung hievte er sich auf die Beine und ging dem Geräusch nach. Ob es der Neugier wegen war oder aus Verzweiflung, wusste er selbst nicht. Nichts ahnend näherte er sich den Ruinen. Die Landschaft wurde immer unheimlicher und wirkte immer lebloser. Trockene Äste lagen auf dem Boden und Bäume, die ihr Leben ausgehaucht hatten, standen trostlos und ohne Blätter nackt in der Landschaft. Die einst grünen Grashalme unter seinen Füßen waren nun gelblich und leblos, überhaupt alles in diesem fahlen Gebiet wirkte wie ausgestorben, als hätte ein Fluch alles Leben aus der Umgebung gesaugt.

Langsam und die letzten Kraftreserven ausschöpfend ging er weiter, so schnell es ihm seine müden Beine erlaubten. Trotzdem kam er dem Geräusch nicht näher. Die Oud ertönte immer noch in derselben Lautstärke wie zuvor unter dem Baum. Verzweifelt und orientierungslos starrte er in alle Himmelsrichtungen.

»Woher … woher kommt dieses verdammte Geräusch«, hustete er. Seine Stimme war kaum hörbar, sein Mund, der mittlerweile ausgetrocknet war, erlaubte es ihm nicht, lauter zu sprechen. Keuchend und ausgelaugt stützte er sich mit beiden Händen auf die Knie und lehnte sich leicht vor.

Unversehens verdunkelte sich der Himmel, aschgraue Wolkenfetzen verdeckten die Sonne, alles wurde plötzlich grau und dunkel. Noxun nahm dies peripher wahr, sein leerer Magen ließ ihn nur an Essen denken und jetzt erst fragte er sich, wieso er nicht den Händler nach etwas zu Essen und Trinken gefragt hatte. Und dann, als hätte irgendjemand aus der Ferne nach ihm gerufen, fing er an unentwegt gen Westen zu laufen. Dabei machte er fahrige Bewegungen und fiel einige Male fast um vor Kraftlosigkeit. Obwohl er nur eine kurze Strecke zurückgelegt hatte, befand er sich nun an einem völlig anderen Ort.

Schwerter, soweit das Auge reichte, steckten im Boden, die Griffe in den Himmel zeigend, es müssten hunderte, wenn nicht tausende gewesen sein. Einige sahen so aus, als wären sie erst kürzlich geschmiedet worden, ihre Klingen glänzten in der Dunkelheit, andere wiederum waren verrostet und abgewetzt, als steckten sie schon seit Jahrzehnten in der Erde. Es gab auch Schwerter, die an einigen Stellen zerbrochen waren.

Entrückt hastete er von einem Schwert zum anderen, bis er schließlich um sich schaute und erst dann realisierte, dass die Anzahl an Schwertern, die im Boden steckten, schier unendlich war. Aus heiterem Himmel erklang wieder die betörende Melodie der

Oud, diesmal war sie ganz nah und eine trübsinnige, wunderschöne Männerstimme sang:

»Oh, du meine traurige Seele,
siehst du denn nicht, wie ich mich quäle,
du weißt, wonach ich mich sehne,
doch kann ich mich nicht bewegen, als wären durchge-
schnitten, all meine Sehnen,
unversehens und ohne Vorwarnung schnitten sie durch
deine Kehle,
du mein Geliebter, wirst mir immer fehlen ...«

Einige Minuten noch spielte er wunderschöne elegische Töne, ohne ein Wort zu sagen, bis die Töne in der trostlosen Gegend verebbten.

Noxun, der die Situation, in der er sich nun befand, nicht so recht verstand, schaute um sich, und tatsächlich konnte er jemanden in der Ferne ausfindig machen. Durch das spärliche Licht waren nur die dunklen Umrisse des mysteriösen Mannes zu sehen. Mitten in einem Meer aus Schwertern saß er auf einem kleinen Felsen und hielt seine Oud in den Händen. Ächzend ging er auf ihn zu, auf jenen Mann, dessen Klänge, die er auf seiner Oud erzeugte, Noxun ein unbehagliches Gefühl bereiteten. Nach einem Kampf war ihm nicht zumute, ohnehin wäre ein Sieg nicht wahrscheinlich gewesen, doch er wollte wissen, warum er so trübsinnige Lieder spielte, warum er sie andauernd hörte, sei es aus der Ferne oder aus nächster Nähe.

Jedoch, kurz bevor er ihn erreichen konnte, verließen ihn seine Kräfte, seine Beine konnten ihn nicht weitertragen und so kam es, dass er zu Boden fiel. Kümmerlich versuchte er sich einige Male aufzurichten, jene Mühen aber waren umsonst. Seine ausgetrocknete Kehle erlaubte es ihm nicht einmal nach Hilfe zu rufen. Doch auch wenn er es könnte, der Mann, der eben noch vor ihm auf einem Felsen saß, war nicht mehr da. Nun hatte Noxun alle Hoffnung verloren. Nicht, dass er sich je große gemacht hätte, aber das bisschen Funken, welches er in sich bewahrte, erlosch so schnell wie eine Kerze in einer fensterlosen Laterne.

»Bis hierhin also, bis hierhin und nicht weiter, ich wollte doch noch zu dir kommen Liebste ...«

Die Augen fest verschlossen und auf sein elendiges Ende wartend, geschah etwas Unvorhergesehenes. Kleine Tropfen fielen auf seine Lippen und befeuchteten sie. Zunächst dachte er, dass seine Gedanken ihm einen Streich spielten und er sich alles nur einbildete. Doch als Wasser durch seinen Mund, welcher einen Spalt weit offen war, floss, öffnete er schlagartig seine Augen.

Ein hagerer Mann, etwa in seinem Alter, mit langen, schwarzen, zu einem Zopf gebundenen Haaren, stand über ihn gebeugt da und lies Wasser aus seinem Trinkschlauch in seinen Mund fließen. Ein paar lose Strähnen hingen vor seinem anmutigen Gesicht und während er Noxun etwas zu trinken gab, lächelte er verlegen.

»Dan… danke«, brachte er hustend heraus.

Der mysteriöse Mann jedoch lächelte ihn weiter an und antwortete nicht darauf.

»Bist du eine Illusion? Bin ich etwa schon tot?« Dass das nicht stimmte, war ihm klar, als er feststellte, dass er immer noch am selben Ort war. Keine Antwort. »Warum, warum habe ich die ganze Zeit die Lieder, die du spieltest, gehört, obwohl du doch so fern warst?«, fragte Noxun, der nun mit feuchter Kehle normal sprechen konnte. Der ansehnliche Mann steckte seinen Trinkschlauch weg und richtete sich auf.

»Meine Lieder erreichen jene, die traurig sind.«

Erst jetzt sah ihn Noxun in voller Pracht. Er trug eine zu große, schwarze Tunika mit goldenen Nähten, in der er noch dünner wirkte, als er ohnehin schon war.

»Wo sind wir hier, was ist das für ein Ort?«, fragte Noxun, der immer noch auf dem Boden lag und keine Anstalten machte aufzustehen.

»Das Grab der Hoffnungslosen …«, antwortete er bedrückt.

»Das Grab der Hoffnungslosen?«, wiederholte der Schwarze Wolf leicht irritiert, als hätte man ihm etwas Absurdes erzählt. Verwirrt und immer noch geschwächt, richtete er sich langsam auf. »Davon habe ich noch nie gehört.«

Der hagere und zugleich betörende, junge Mann grinste und strich durch sein langes Haar. »Ich denke, du hast seit letzter Nacht genug gehört.«

Noxun erwiderte dies mit einem Lächeln: »Ich vergaß mich angemessen zu bedanken, wie lautet dein Name?«

»Kairen«, antwortete er knapp.

»Kairen, woher kommst du und was suchst du an solch einem tristen Ort wie diesem?«

»Ich komme aus dem noch trostloseren Königreich Nefalurin. Wonach ich suche …«, er hielt kurz inne und dachte nach, »Nichts, ich suche nach dem Nichts.«

Noxun fühlte sich so, als ob seine Eingeweide sich zusammenzögen und ihn drangsalieren wollten. Ariz hatte einen Tag zuvor eine ähnliche Antwort gegeben.

»Was ist dieses **Nichts,** wovon alle reden?«, brummte er leicht verärgert.

»Nun …«, begann Kairen und schaute Noxun fragend an.

»Noxun.«

»Nun Noxun, dieses Nichts, wovon alle reden, beschreibt die Leere in einem. Jemand, der eine geliebte Person verloren hat, fühlt eine unendliche und unerfüllbare Leere in sich, und Menschen, so sagt man, Menschen, die nach dem Nichts suchen, suchen eigentlich nach etwas, dass dieses Nichts ausfüllt, so zumindest denke ich«, belehrte er Noxun mit seiner melodischen Stimme. Nachdenkend starrte der Schwarze Wolf eines der verrosteten Schwerter an und packte es am Schwertheft, so als ob er es jeden Moment herausziehen würde, ehe er davon absah.

»Und woher kommst du?«, fragte Kairen

»Aus einem kleinem Dorf, außerhalb der Mauern des Königreichs Nefalurin.«

»Und wonach suchst du?«, hakte Kairen nach.

Nach dieser Frage schien sich die Welt um Noxun schneller zu drehen als sonst, die dunklen Wolken liefen ineinander und formten ein unheimliches Wesen. Die düstere Stimmung wurde mit einem Mal bedrückender und alles fühlte sich fremd für ihn an.

»Wonach ich suche?«, gab er verwirrt von sich und machte dabei fahrige Bewegungen.

Kairen bemerkte den plötzlichen Wandel von Noxun und schaute ihn verwundert an.

Alles lief in Zeitlupe vor seinen Augen ab, dann wiederum fühlte es sich so an, als wären von einem in den nächsten Moment Stunden, wenn nicht sogar Tage, vergangen.

»Wonach ich suche?«, wiederholte Noxun die Frage, während er wie wild das Meer aus Schwertern betrachtete und die Augen aufriss. *»Nichts.«* Er befand sich in einer geistigen Umnachtung und nichts, so schien es, konnte ihn nun mehr beschwichtigen. Kairen sagte etwas, aber für den Schwarzen Wolf hörte es sich so an, als ob es aus weiter Ferne kommen würde. Immer wieder hörte er wehklagende Stimmen. Es müssen hunderte auf einmal gewesen sein. Angsterfüllt schaute er Kairen in die Augen und zitterte dabei am ganzen Körper, sein Haar fiel ihm dabei ins Gesicht, und er schaffte es nicht einmal, sie zur Seite zu streichen. Langsam schloss er seine Augen, fiel zu Boden und verlor das Bewusstsein.

Umnachtung?

Langsam öffnete er seine Augen und sah zunächst alles verschwommen. Als sich sein Blick schärfte, richtete er sich mit einem Ruck auf und sah um sich. Die Sonne stand am höchsten Punkt, kleine Wolkenfetzen waren am Himmel, diese waren aber nicht groß genug, um der Sonne die Sicht zu verdecken.

»Hier war ich doch schon mal«, dachte er sich. Und tatsächlich, er befand sich an derselben Stelle, wo er eine Nacht zuvor Ariz begegnet war.

»Guten Morgen«, ertönte eine Stimme, die er unter hundert anderen sofort wiedererkennen würde.

»Du bist es, Kairen, hast du mich hierhin gebracht? Was ist passiert?«

Kairen, der hinter dem Eichenbaum hervortrat und durch sein schönes langes Haar strich, sprach mit seiner klangvoll betörenden Stimme: »Du bist auf einmal ohnmächtig geworden. Du wirktest verwirrt und verstört, als ob ein Fluch auf dir lasten würde.«

»Was ist davor geschehen? Du hattest mich etwas gefragt, wenn ich mich recht erinnere.«

»Ich habe dich nicht …«, Kairen stoppte jäh, er wollte es vermeiden, dieses Wort so kurz nach seiner Umnachtung, noch einmal zu erwähnen. Nach der kurzen Pause fuhr er fort. »Nachdem du das Bewusstsein verloren hattest, hatte ich das Gefühl und die Vermutung, dass es an diesem Ort lag und so habe ich dich huckepack hierher getragen.«

»Ich hatte hier eine Nacht zuvor gerastet. Merkwürdig, dass du mich genau hierherbrachtest«, sagte Noxun, während er nachdenklich ein paar Grashalme aus dem Boden riss und sie zur Seite warf.

»Um ehrlich zu sein, wurde ich geführt. Das Grab der Hoffnungslosen ist kein Ort, wo man nach Lust und Laune hineinspaziert und genauso wieder rauskommt. Nein, so einfach ist das nicht. Dieses Meer aus Schwertern versperrt dir deinen Weg, du könntest Stunden, Tage laufen und würdest nicht hinausfinden«, sagte er bekümmert, während er seine Oud, welche an seinem Rücken hing, abnahm und sich mit ihr in der Hand an einen Baum lehnte.

»Ich verstehe nicht so recht, was hat es mit diesem Ort auf sich, liegt ein Fluch darauf? Und wie hast du letztendlich hinausgefunden?«

Kairen antwortete zunächst mit einem erschöpften Schnauben. »Kein Fluch von einem Hexer, sondern der Fluch des Schicksals«, flüsterte er während seine Augen leer und trostlos durch die Landschaft strichen. »Das Königreich Daw sollte dir ein Begriff sein.«

Noxun nickte.

»Und kennst du auch die Geschichte über seinen Untergang?«

Der Schwarze Wolf schüttelte den Kopf.

»Einst ein prächtiges Königreich, reich an Nahrung, Gold und allerlei Rohstoffen, die Händler aus allen Himmelsrichtungen herlockten, fand ein komisches und jähes Ende. Die Krieger des Königreiches waren mutig und kampferprobt. Eine Schlacht nach der anderen konnten sie für sich entscheiden, aber nicht etwa, um ihr Reich zu vergrößern, nein, sie verteidigten, was ihres war. Angriffskriege waren gegen ihre moralischen Vorstellungen und wenn du dich fragst, warum sie angegriffen wurden, ist die Antwort genauso abscheulich wie einfach. Neid. Allein diese schreckliche Eigenschaft, die uns Menschen in die Wiege gelegt wird, bewirkt so viel Schreckliches und Unheilvolles. Aus reiner Missgunst wurden sie angegriffen, aus reiner Missgunst hetzte man allerlei Hexer und Söldner auf den König, doch er überlebte jeden einzelnen Versuch, ihn umzubringen, und seine Soldaten wurden mit jeder Schlacht stärker und unbesiegbarer, so schien es. Ihre Rüstungen schimmerten golden, ihre Helme, die mit Augenschlitzen und einem Mundschlitz versehen waren, erfüllten jeden, der sie ansah, mit Angst und Furcht. Ihre weißen Umhänge flatterten im Wind, wenn sie auf einer Anhöhe standen und auf ihre Gegner warteten. Die Krieger des Lichts, so nannte man sie«, er schwieg einen Augenblick, strich ein paar Strähnen zur Seite und fuhr dann fort. »Der König, der kurz vor dem Zusammenbruch herrschte, war durchaus ein weiser und kluger Mann, doch wie alle klugen Menschen, neigte auch er zu Selbstüberschätzung. So kam es, dass er eines Tages überlistet wurde.«

»Wer? Wer hat ihn überlistet?«, fügte Noxun hastig ein.

Kairen lächelte ihm zart zu und spielte ein paar Töne auf seiner Oud.

»Es gab mal einen närrischen, alten Mann, zumindest dachten sie alle, er wäre ein Narr.«

Noxun legte die Stirn in Falten.

»Ja, unseresgleichen würde ihn als Irren bezeichnen«, fuhr Kairen fort.

»Warum?«

»Weil er die Wahrheit sprach, so sagt man, andere wiederum meinten, er sei ein Schwindler und ein Irrer gewesen, der sich bösen Mächten verschrieben hatte.«

Der Schwarze Wolf zuckte kurz zusammen, jedoch ließ er sich nichts anmerken.

»Ich verstehe nicht so recht. Er soll ein Irrer sein, weil er die Wahrheit gesprochen hat?«

»Jeder, der die Wahrheit spricht, ist ein Irrer, Noxun, und jeder, der nach ihr sucht, ist mehr als ein Irrer.«

Noxun starrte auf den Boden, während er hastig hin und her lief. Es schien so, als ob er wieder einmal in Gedanken versunken war. Kairen bemerkte dies nicht, weil er selbst verträumt zum Himmel blickte. Nach einem vernehmlichen Räuspern sagte Noxun: »Und wie wurde der König letzten Endes überlistet?«

»Nun wie gesagt, eines Tages kam ein närrischer alter Mann in die Stadt. Er trug Überlieferungen zufolge einen grauen, abgenutzten Umhang und auch sein restliches Äußerliches war nicht sehr ansehnlich. Lange, zerzauste, weiße Haare hingen ihm bis zu den Hüften und sein ungepflegter Bart reichte bis zu seiner Brust. An einem schönen Frühlingstag kam er auf einem schäbigen, alten Pferd angeritten und durchquerte die Tore, um in das Innere zu gelangen.«

»Was tat er dann?«, fragte Noxun ungeduldig nach, »hatte er irgendwelche besonderen Kräfte? War er ein Hexer oder Magier?«

»Weder noch. Wie gesagt war der König ein weiser und kluger Mann, sein Wissen und seine Listigkeit waren weit über die Grenzen seines Königreiches bekannt und so beschloss er eines Tages – manch einer sagt, nur aus Langeweile, ich aber vermute, da steckt noch mehr dahinter –, dass nur diejenigen ihn zu Gesicht bekommen würden, die ein ganz bestimmtes Rätsel lösten. Demjenigen, der des Rätsels Lösung wusste, versprach er, einen Wunsch zu erfüllen. Diese Nachricht verbreitete sich schnell. Also verweilte er nach seinem Entschluss nur noch in seiner königlichen Halle und nur Dienern und Bediensteten war es erlaubt, ihn zu sehen.«

Noxun lauschte gespannt und lehnte sich an einen Baum und verschränkte die Arme.

»Es gab zwei Türen vor seiner Halle. Die eine führte direkt in die Halle zum König und die andere zu den Kerkern. Vor den Türen standen Wachen, die der König beauftragt hatte. Dem einen sagte er, er solle, wie auch immer die Frage lautete, die Wahrheit sagen. Dem anderen sagte er, er solle, wie auch immer die Frage lautete, lügen. Man durfte nur einem der Wächter eine Frage stellen, um die richtige Türe zu finden. Hierbei wusste man nicht, wer derjenige war, der die Wahrheit sagte oder derjenige, der log. Würde man die falsche Tür wählen, also die zu den Kerkern, so würde man den Rest seines Lebens dort verweilen müssen. Das war der Preis, den man zu zahlen hatte, wenn man wollte, dass einem ein Wunsch erfüllt wird. Nicht viele haben sich getraut, Noxun. Um genau zu sein, kein Einziger. Die Menschen innerhalb der Mauern waren ohnehin schon reich, besaßen viel Land und Vieh, und aus purer Gier wollte niemand den Rest seines Lebens in einem Kerker verbringen. Jedoch kamen aus anderen Ländern Menschen, die sich viel erhofften. Kaum standen sie aber vor den Wächtern, wurden ihre Knie weich. So kam es also, dass viele zwar den Weg auf sich nahmen, doch niemand sich traute, die alles entscheidende Frage zu stellen.«

Noxun hörte schon gar nicht mehr zu, in seinen Gedanken versuchte er, des Rätsels Lösung zu finden. Dabei murmelte er vor sich hin, Kairen belustigte dies und er fing an herzhaft, aber dennoch taktvoll, zu lachen.

»Soll ich es dir verraten, ehe du dem Wahn verfällst?«

»Du tust ja so, als ob du das Rätsel an jenem Tag gelöst hättest«, erwiderte der Schwarze Wolf ein wenig verärgert.

»Verzeih, es war nicht meine Absicht, mich über dich lustig zu machen, mir fiel nur ein, wie ich Nächte verbrachte, um auf die Lösung zu kommen«, er dachte kurz nach, wo er stehen geblieben war und fuhr fort. »Jedenfalls kam eines Tages dieser alte Mann angeritten, sein Umhang grau, fransig und unansehnlich. Er verweilte erst ein paar Tage in der Stadt, ehe er sich der Aufgabe stellte. Und während seines Aufenthalts erzählte er merkwürdige Dinge, Dinge, die die Menschen dazu brachten, ihn einen Irren zu nennen. Am dritten Tag seines Aufenthalts geschah etwas, das ihm keiner zugetraut hatte. Er ging zur Residenz des Königs und stellte sich vor die Wächter.«

Noxun hörte gespannt zu und widmete Kairen seine volle Aufmerksamkeit.

»Nun: Wie lautete die Frage, denkst du dir jetzt«, sagte Kairen mit seiner betörenden Stimme.

»Ich bin gespannt, von solch einem Rätsel habe ich noch nie gehört und auch nach langem Nachdenken bin ich nicht auf die Lösung gekommen.«

»Er fragte einen der Wächter, welche Türe der andere Wächter anraten würde, um zum König zu gelangen.«

»Ich verstehe es nicht.«

»Lass es mich dir erklären. Angenommen er hätte zufälligerweise den Lügner erwischt, dann müsste dieser der Fragestellung nach, eigentlich sagen, dass der andere die richtige Türe nennen würde. Da er aber ja lügen muss, würde er auf die Türe zu den Kerkern zeigen. Und hätte er denjenigen, der die Wahrheit sagt, gefragt, so hätte dieser ebenso die Türe zu den Kerkern angeraten, da er das sagen würde, was der Lügner empfohlen hätte. Das heißt also, du musst, egal wie die Antwort lautet, die andere Türe wählen, als die, die dir angeraten wird.«

»Darauf wäre ich nicht gekommen, auch wenn mir mehr als nur ein Leben vergönnt wäre«, sagte Noxun unverhohlen.

»Nachdem er überraschenderweise die Lösung wusste, wurde ihm der Eintritt gewährt. Der König gewährte ihm schließlich einen Wunsch, was ihm letzten Endes zum Verhängnis wurde.«

»Wie lautete sein Wunsch?«

»Dies wollte der König auch wissen und so fragte er nach. Der alte Mann lachte kurz auf und holte sich ein Stück verkohltes Holz aus dem Kamin des Königs. Dann zeichnete er damit auf den Boden 64 Kreise. Die Bediensteten und der König schauten gespannt zu. Nachdem er die Kreise zu Ende gezeichnet hatte, sagte der alte Mann: *Ich verlange von euch, dass ihr ein Goldstück in den ersten Kreis legt und in jeden darauffolgenden Kreis stets die doppelte Anzahl, also zwei in den zweiten und vier in den dritten Kreis, und so weiter.* Der König verzog seinen Mund zu einem Grinsen und war erleichtert. Wie ich zuvor schon sagte, war er reich und besaß Unmengen an Gold. Doch so leicht war der Wunsch nicht zu erfüllen. Denn wenn man genauer darüber nachdenkt, bräuchte der König so viele Goldstücke, dass alles Gold auf dieser Welt nicht ausreichen würde, um diesen Wunsch zu erfüllen.«

Noxun schaute zunächst ungläubig drein, so als hätte er sich mehr erhofft.

»Ist dies nur eine erfundene Geschichte oder die Wahrheit?«, fragte er leicht unglaubwürdig.

»Keine Geschichte entsteht einfach so, ein Funken Wahrheit ist immer dabei«, antwortete Kairen die Sonne anlächelnd.

»Um ehrlich zu sein, hat mir die Geschichte ein Greis erzählt, in einer Stadt namens Linhof.«

»Linhof …«, murmelte Noxun grübelnd vor sich hin.

»Die Stadt grenzt an die Berge der Erkenntnis.«

»Jetzt erinnere ich mich. Was hast du so weit im Westen von Nefalurin gemacht?«

»Ich bin ein Seelensänger und somit viel unterwegs«, sagte er mit trübsinniger Stimme.

»Sobald ein Leben erlischt, verlässt die Seele den Körper. Damit sie auch ihren Weg in das andere Reich findet, singen ihnen Seelensänger Lieder vor und leiten sie mit ihrer Stimme. Andernfalls würden die Seelen ziellos umherirren oder gar zum Werkzeug Apyllons oder anderer Schurken werden. Bis heute weiß niemand genau, was unsere Stimmen so besonders macht. Denn nur unsere Stimmen können die Seelen führen, andere hatten sich schon darin versucht und scheiterten kläglich. Du kannst ihre Schreie mancherorts immer noch hören.«

»Du bist also ein Seelensänger, ich hätte früher darauf kommen sollen«, sagte Noxun mit verwunderter und begeisterter Mine zugleich, »ich weiß, es gibt nicht viele von euch, aber deine Stimme ist die schönste von allen. Noch nie vernahmen meine Ohren eine solch liebreizende Stimme, die gleichzeitig auch Trübseligkeit zum Ausdruck bringt.«

»Ich danke dir für dein Lob, Noxun«, und das Gesicht des Oud-Spielers errötete.

»Noch nie zuvor hatte ich die Gelegenheit, mit einem Seelensänger sprechen zu können, daher verzeih, wenn ich dir einige Fragen stelle. Wie genau ist euer edler Beruf entstanden?«

»Ich weiß nicht viel darüber, Noxun, und wenn ich dir das erzählen würde, was ich weiß, würdest du mich auslachen oder mich für einen Irren halten.«

Der Schwarze Wolf musste schmunzeln. Er dachte über die Geschehnisse in letzter Zeit nach, über die Elekuden und dass er des Königs Nachfolger war. Wenn es einen gäbe, den man für einen Irren halten würde, dann ihn.

»Erzähle mir bitte, was du weißt. Ich halte niemanden für einen Irren für das, was aus seinem Munde kommt, auch wenn es noch so unglaubwürdig klingt. Diese Art von Mensch bin ich nicht.«

»Schön, dass es noch Menschen wie dich gibt, Noxun. Nun es gibt nicht viele Aufzeichnungen über unsere Entstehungsgeschichte. Gar keine, um ehrlich zu sein. Doch ich erwähnte vorhin diesen alten Mann, den ich in Linhof getroffen hatte. Dieser erzählte mir, dass wir etwas mit El…«, er stoppte und war sich unsicher, ob er es aussprechen sollte oder nicht.

»El… was?«

Kairen richtete sich auf und drehte sich mit dem Rücken zu ihm. »Elekuden«, sagte er so, als ob er jeden Moment erwarten würde, dass Noxun ihn auslachte und verhöhnte. Den Rücken immer noch zu Noxun gerichtet, um nach der Schmach, die er erwartete, trübsinnig seinen Weg fortzusetzen, starrte er auf den Boden. Noxun lächelte, doch war dies keineswegs ein Lächeln, um Kairen zu verhöhnen. Denn er wusste genau, dass es sie gab.

»Und du glaubst diesem alten Mann?«, fragte Noxun heiter.

»Ja, ich traf ihn ein paar Mal an verschiedenen Orten und bisher wurde er von jedem für das, was er sagte, ausgelacht. Doch nach langem Nachdenken kam ich drauf, dass er recht hatte mit dem, was er sagte.«

»Und mit was genau hatte er recht?«

»Das ist egal, es war schön deine Bekanntschaft gemacht zu haben. Lebewohl«, sagte Kairen mit seiner betörenden Stimme, die nun sanft und trübsinnig abklang. Gerade als er ein paar Schritte gegangen war und sich auf den Weg machen wollte, fragte Noxun wohin er denn plötzlich ginge.

»Ich ... ich weiß es nicht, mein Herz sehnt sich nach dem Tod. Ich werde nicht das erste Mal verstoßen und ... ich ertrage es einfach nicht mehr«, seufzte Kairen den Tränen nahe.

»Ich habe nie gesagt, dass ich dir nicht glaube, Kairen. Ich würde dich niemals verstoßen, du hast mir mein Leben gerettet und übrigens bin ich einem begegnet.«

Erschüttert drehte sich Kairen langsam zu ihm, mit rotunterlaufenen Augen fragte er:

»Wem ... wem bist du begegnet?«

Noxun lächelte ihn an, er wusste nicht warum, aber er genoss die Gesellschaft des jungen Seelensängers und mochte ihn.

»Einem Elekuden. Es gibt sie wirklich.«

Die Antwort ist die Frage

»Was mich zu euch führt?«, lachte Emren verbittert. »Eine Frage auf die ich, wie ich doch sehr hoffe, eine Antwort finden werde.«

Emren betrachtete immer noch das Feuer. Kulaf schwieg zunächst und nur das Knistern des Feuers unterbrach die Stille. Emren wusste gleich, dass es sich um einen Elekuden handelte, seine Intuition sollte ihn nicht im Stich lassen.

»Aber nun sag mir, mein Elekudenfreund, was führte *dich* zu mir?«, Emren betonte dabei das Wort ,dich' besonders, ungeachtet dessen, dass im nächsten Moment ein Pfeil in seinem Kopf stecken könnte.

Kulaf, dessen Haut nicht ganz so dunkelgrün wie die Flügel eines grünen Zipfelfalters war, sondern gräulicher wirkte, schaute von dort, wo er sich versteckt hielt, verstimmt drein. Sein Bogen war weiterhin bis zum Anschlag gespannt, aber etwas war anders als zuvor. Er wirkte bei weitem nicht mehr so impulsiv. Er wirkte nun ernster, aber dennoch uneinsichtig, was die Menschen betraf. Nach langem Zögern sprach er gelassen, aber mit einem scharfen Unterton:

»Der Wald, die Bäume und deine bloße Anwesenheit haben mich zu dir geführt.«

Emren hob für einen Augenblick die Brauen.

»Die Bäume sagst du. Das heißt, du kannst mit Bäumen sprechen oder die Bäume sprechen zu dir und du verstehst sie. Angenommen es stimmt, was du sagst, wieso habe ich sie dann nicht reden hören?«, fragte Emren, dabei tat er so, als wäre er leicht verwirrt. Er versuchte den Eindruck zu erwecken, als hätte er keine bestimmen Absichten gehabt, um da zu sein, wo er jetzt ist. Bis vor Kurzem wollte er gefunden werden, nun aber wollte er durch listige Fragen noch mehr über die Elekuden herausfinden.

»Hier spricht alles, hier hört alles, hier sieht alles, dies ist ein heiliger Ort, doch das Gesagte zu verstehen, ist nur uns vorbehalten, Menschensohn«, Kulaf machte dabei ein angewidertes Gesicht. Wie es schien, hatte er seine Wut nur unterdrückt und sie nicht gänzlich abgelegt.

»Du sprichst ja so voller Abscheu über mich, als wäre ich Apyllon persönlich«, erwiderte Emren.

»Unbedachte Worte verlassen deinen Mund, Menschensohn. Ich an deiner Stelle, würde meine Zunge zügeln, ehe ein Pfeil in deinem Kopf steckt«, sagte Kulaf und wirkte dabei ruhig und bedacht. Etwas war vorgefallen, seit dem Treffen mit Noxun. Sein Hass war weiterhin vorhanden, aber die Flamme war bei weitem nicht mehr so groß wie zuvor.

»Das glaube ich nicht, mein Elekudenfreund«, sagte Emren gelassen und starrte immer noch ins Feuer.

»Was macht dich so sicher? Du könntest im nächsten Augenblick schon tot sein«, entgegnete Kulaf barsch.

Emren versuchte Kulafs Stimme zu orten, ohne Erfolg.

»Würdest du mich wirklich töten wollen, dann würde ich jetzt wahrscheinlich mit einem Pfeil in meinem Kopf reglos auf dem Boden liegen.«

Es herrschte eine lange Zeit Stille zwischen den beiden. Der Schlüssel, den Emren um seinen Hals trug, schimmerte immer wieder im spärlichen Licht, das das Feuer spendete. Mit einem kleinen Ast in der Hand stocherte er im Feuer herum, nachdenkend über etwas, das er nicht zu sagen vermochte. Emren wollte das Gespräch wieder aufnehmen und warf den Ast beiseite. »Deine Hände sind sicherlich schon eingeschl…«

Und genau in diesem Augenblick schoss ein Pfeil an seinen Ohren vorbei, so schnell und wuchtig, dass er durch seinen Kopf hindurchgegangen wäre, als wäre er ein dünnes Stück Pergament. Hätte er sein Haupt auch nur ansatzweise bewegt, dann würde ihm jetzt ein Stück von seinem Ohr fehlen. Zu Kulafs Überraschung regte Emren sich nicht einmal. Dieser starrte nun nicht mehr das Feuer an, sondern geradeaus in den dunklen, unheimlich wirkenden Wald. Die Blätter hatten nun dunklere Töne angenommen und Nebel kroch am Boden entlang, die Eulen schuhuten wild durcheinander, einige Male waren auch Vogelgezwitscher und Laute von Wesen zu hören, die er nicht zuordnen konnte.

»Du kannst gut zielen«, sagte Emren leichthin, als wäre nichts passiert, »wie wäre es, wenn du dich endlich zeigst?«

Nichts, keine Antwort, nur das Raunen des Waldes.

»Nun, dann eben nicht. Aber sage mir Eines, ist dieser Ort hier wirklich heilig? Ich habe mir heilige Orte immer anders vorgestellt. Nicht so ruchlos und angsteinflößend.«

Tatsächlich hatte Emren damit einen Nerv bei Kulaf getroffen, denn das erste Mal zeigte er stark erkennbare Wut. Seine Augen funkelten. Emren hatte sein Blut in Wallung gebracht.

»Der heilige Boden, auf dem du dich befindest, ist der Grund, warum du überhaupt noch lebst«, wetterte Kulaf harsch gegen ihn.

»Wieso?«, antwortete Emren gleichmütig.

»Weil ich ihn mit deinem Blut und das deinesgleichen nicht mehr besudeln will!«

Emren stand auf und schaute nun weiter in den dunklen finsteren Wald und suchte diesmal nicht nach Kulaf. Dies bemerkte er und war ein wenig verwirrt darüber, dass Emren nun diese eine Stelle des Waldes betrachtete.

Die Eulen schuhuten weiterhin wirr durch den Wald und fokussierten dabei Emren. Eine der Eulen behielt er selbst die ganze Zeit über im Auge, machte dies aber nicht offensichtlich. Weil seine Beine etwas eingeschlafen waren, begann er torkelnd um das Feuer zu laufen und stierte weiterhin diese eine Eule an, die ein schwarzes Gefieder und heimtückisch gelb funkelnde Augen hatte.

»Ich weiß jetzt, wo du bist, Elekude.«

Als Emren zu Ende gesprochen hatte, schreckte Kulaf zusammen, verwirrt blickte er Emren an; von dort aus, wo auch immer er sich versteckt hielt. Noch hielt er sich zurück und ging nicht auf Emren ein. Denn er redete sich selbst schnell ein, dass Emren nicht wüsste, wo er sich befände.

»Und wo bin ich?«, fragte Kulaf verhöhnend.

Emren drehte sich ruhig im Kreis und beobachtete seine Umgebung.

Kulaf lachte laut und boshaft auf. »Hier in diesem Wald kannst du durch meine Stimme nicht ausmachen, wo ich bin, denn sie ertönt von überall.«

Emren beunruhigte diese Tatsache. »Ich wusste, dass ihr Elekuden meinesgleichen nicht freundlich gesinnt seid, doch dass ihr uns behandelt, als wären wir das Böse selbst, irritiert mich.«

Kulaf lachte lauthals und erzeugte ein finsteres Echo.

»Du bist wohl auch der Elekude, dem Noxun begegnet ist.«

Plötzlich unterbrach Kulaf sein finsteres Gelächter. Er spannte ein zweites Mal seinen Bogen bis zum Anschlag. Dass er mit Noxun nicht gerade zimperlich umgegangen war, war Emren bewusst, doch er war auch gespannt, wie Kulaf auf seine Anmerkung reagieren würde. Der Elekude reagierte, nur nicht mit Worten, wie Emren angenommen hatte. Kulaf wollte ein zweites Mal einen Pfeil abschießen, diesmal aber mit der Absicht, ihn zu töten. Wie ein wehrloses Kleinkind stand Emren da, nichts ahnend. Kulaf schoss zum zweiten Mal einen Pfeil ab, diesmal aber einen, der geradewegs auf Emrens Kopf zuflog und dabei zischte wie ein Wal, der die eingeatmete Luft mit voller Wucht ausstieß. Der Pfeil aber blieb in der

Luft stehen, schwarze klauenartige Schatten umklammerten das Geschoss. Der Elekude blickte zunächst ungläubig drein. Im nächsten Moment begriff er, was vor sich ging.

»Woher wusstest du, wo ich bin?«, schrie Kulaf, so dass Emren die Frage ebenfalls hören konnte. Dieser wiederum begriff nicht, mit wem er da sprach.

»Ich wusste es, obwohl ich nicht wusste, dass ich es weiß«, antwortete eine Stimme aus dem Wald.

Emren begutachtete zunächst die merkwürdigen Schatten, die sich um den Pfeil gelegt hatten und ihn in ihren klauenartigen Griffen festhielten. Sie erinnerten ihn an einen Adler, der seine Beute fest in seinen Krallen festhielt.

»Ist das Hexerei oder spielt mir dieser Wald einen Streich?«

Augenblicklich verstummte der Wald, weder das Raunen der Bäume noch die Tierrufe waren zu hören, als ob die Zeit stillstehen würde. Das Feuer brannte noch immer und schien nun merkwürdigerweise noch heller als zuvor.

»Kehre dahin zurück, wo du hergekommen bist«, warnte ihn Kulaf zähneknirschend.

»Ich werde dahin kehren, wo ich herkomme, und du, Kulaf, wirst mitkommen. Unser Freund hier ebenfalls«, antwortete die Stimme.

Emren horchte auf und lies vom Pfeil ab.

»Du hast mir keine Befehle zu erteilen, Menschensohn! Kein Mensch erteilt einem Elek…«

»Oh, das war kein Befehl von einem Menschen. Ich vergaß zu erwähnen, dass mich Izagun schickte«, unterbrach ihn die Stimme, die nun erfreut klang.

Emren wurde hellhöriger, als er Izaguns Namen hörte. Der Elekude schnaubte laut und senkte seinen Bogen langsam und widerwillig.

»Wer spricht da und was sind das für merkwürdige Schatten?«, fragte Emren, der sich nun auch am Gespräch beteiligte.

»Die Geschichte ist zu lang, um sie dir hier zu erzählen, mein junger Freund.«

»Die Geschichte wer du bist? Oder woher diese merkwürdigen Schatten kommen?«, hakte Emren stirnrunzelnd nach.

»Beides, aber wir haben es eilig. Izagun erwartet dich bereits.«

Kulaf blickte noch einige Male wütend zu Emren, während er sich zornig den Bogen über die Schulter legte und dabei unverständliche Sachen vor sich hinmurmelte.

»Nun denn, lasst uns gehen, wo auch immer ihr steckt.«

Und plötzlich, wie aus dem Nichts, stand er hinter Emren. Ein großer, hagerer, alter Mann, der einen langen, grauen, buschigen Bart trug. Sein dunkelblauer Umhang bedeckte seinen ganzen Körper und war nur am Kragen zugeschnürt, kleine Zierrate in Form von komischen Symbolen verzierten den Umhang. Wie ein Landstreicher, der einem edlen Magier den Umhang entwendet hatte, wirkte er. Sein zerzauster Bart und seine langen Haare harmonierten nicht gut mit seiner Kleidung. Langsamen Schrittes kam er auf Emren zu, der ihn immer noch nicht bemerkt hatte und tätschelte ihn sachte an der Schulter. Genau in jenem Augenblick zog Emren reflexartig sein Schwert und richtete es gegen ihn. Der Mann wiederum verzog keine Miene und sagte leicht spöttisch:

»Du willst doch nicht etwa einen hilflosen, alten Mann angreifen?«

Emren war überrascht, er hatte einen jüngeren, stattlicheren Mann erwartet.

»Ein hilfloser, alter Mann, der Pfeile, die so schnell sind wie der Blitz, mit schattenartigen Klauen abfängt. Du bist alles, aber nicht hilflos«, antwortete Emren mit einer leicht zittrigen Stimme, weil er nicht wusste, was er von ihm halten sollte.

Der alte Mann lachte laut und erst jetzt bemerkte Emren, dass er seine Augen ständig geschlossen hielt. Der Mann wandte sich dem Pfeil zu, streckte zunächst seinen Arm aus, öffnete seine Hände und ballte sie dann zu einer Faust. Die Klauen griffen ineinander und zerbrachen den Pfeil, als wäre es nichts weiter gewesen. Danach öffnete er die Hände wieder und drehte sich zu Emren.

»Fulander mein Name, sehr erfreut«, sagte er heiter grinsend.

Ein wenig widerwillig reichte ihm Emren die Hand. Er hielt nicht viel von Hexern oder Magiern.

»Emren, ebenfalls erfreut.«

»Na dann, wir haben noch einiges an Weg vor uns, ehe wir in Elurin sind.«

»Elurin?«

»Jener Ort, an dem die Elekuden beheimatet sind, wahrlich ein schöner Ort.«

»Ich dachte bis vor Kurzem, sie leben hier in diesem Wald.«

»Es gibt Vieles, das du noch nicht weißt, mein junger Freund, aber lass uns aufbrechen, unterwegs werde ich dir alles erzählen.«

Mit einer lässigen Handbewegung löschte er das Feuer und mit einer weiteren hielt er plötzlich einen kärglich aussehenden, aber dennoch stabilen Stock in der Hand, welchen er als Gehhilfe benutzte. »Gehen wir«, sagte er breit grinsend.

Kulaf war inzwischen verschwunden. Alles war nun dunkel geworden ohne das Feuer, welches eben noch brannte. Emren sah seine eigene Hand nicht mehr vor Augen. Noch ehe er etwas sagen konnte, entflammte Fulander eine Öllampe.

»Merkwürdiger, alter Mann«, dachte er sich, während er ihm folgte.

Sie gingen nun weiter Richtung Norden, in die Heimat der Elekuden. Der Wald wirkte nun leer und verlassen, kein Geräusch war mehr zu hören, nur Fulanders Schritte und die Öllampe, welche ihnen ein wenig den Weg erhellte. Stumm und leise setzten sie einen behutsamen Schritt nach dem anderen, um nicht versehentlich über irgendwelche Wurzeln, welche aus dem Boden ragten, zu stolpern. Keiner von beiden schien das Schweigen brechen zu wollen, Emren hatte vergeblich auf Erklärungen gehofft, stattdessen irrten sie im Dunkeln umher und es überkam ihn langsam das Gefühl, als würde Fulander den Weg nicht kennen. Immer wieder hielt der Greis kurz an und blickte mit verschlossenen Augen umher, dabei machte er komische Handbewegungen.

»Ist dieser komische Kauz denn nicht blind? Wonach hält er Ausschau?«

Und gerade als ihm dieser Gedanke durch den Kopf schoss, hielt Fulander wieder abrupt an, drehte sich bedächtig um und schaute ihm direkt ins Gesicht. Obwohl seine Augen fest verschlossen waren wie die Türen einer Schatzkammer, schien es so, als würde er ihn mit seinem Blick durchbohren. Emren hatte dem nichts entgegenzusetzen und starrte ihn ebenfalls an, allerdings ein wenig verwirrt und überrascht. Fulander fing an, unverständliches Zeug vor sich hin zu murmeln, dabei wurde er lauter, ehe seine Stimme verebbte. Die Situation wurde immer unheimlicher für Emren. Die Stirn in Falten legend, wich er sachte ein paar Schritte zurück und beobachtete ihn. Und dann, als wäre nichts gewesen, setzte Fulander seinen Weg fort.

Emren konnte nicht viel von der Umgebung erkennen. Die Dunkelheit hatte sich wie ein Vorhang auf alles gelegt und die Tiere schienen in einen tiefen Schlaf gefallen zu sein, so still war es geworden. Ab und an, wenn sie nah genug an einem Baum vorbeigingen, erhaschte er einen Blick auf die Gravuren, die er meistens nicht verstand und fragend hinter sich zurückließ.

»Seltsam, bis vor Kurzem haben die Blätter der Bäume noch geschimmert, doch jetzt, seitdem Fulander da ist, hat es aufgehört.«

Er wusste weder wie lange sie gehen würden, noch war er sich sicher, ob sie überhaupt am besagten Ort ankommen würden. Ihm überkam immer mehr der Verdacht, sie würden ziellos umherirren.

»Wir sind bald da. Doch ehe wir ankommen möchte ich dir einige Dinge erzählen, mein junger Freund«, brach Fulander das elendige Schweigen.

»Ich hätte da auch Dinge, über die ich mit dir reden möchte, Fulander«, sagte Emren, während sie gemächlich weiterliefen.

»Nur sehr wenigen Menschen ist die Ehre zuteil geworden, Fuß auf Elurin zu setzen«, setzte Fulander das Gespräch fort.

»Um genau zu sein, wirst du der Dritte sein«, sagte er mit einem breiten Lächeln und wandte sich während des Ganges zu ihm.

Emren kommentierte dies mit einem argwöhnischen Blick.

»Der Dritte also«, wiederholte er das Gesagte ungläubig.

»Ja, zuvor war es nur mir und einer anderen Person gestattet, diesen Boden zu betreten. Die Elekuden waren einst sehr eng mit den Menschen verbunden, daher auch die vielen Geschichten über sie, aber irgendwann haben wir uns auseinandergelebt, und sie gerieten in Vergessenheit. *Warum?* Wirst du dich nun fragen«, noch ehe Emren seinen Mund öffnen konnte, redete er weiter: »Nun, die Elekuden sind sehr emotionale, naturverbundene Geschöpfe, und wir Menschen sind …«, er unterbrach sich selbst und blieb stehen.

»Ich versuche es dir mal wie folgt zu erklären, mein junger Freund. Wir Menschen sind von Natur aus habgierig, wir wollen immer mehr, eine Goldmünze würde uns kaum genügen. Wir wollen unvorstellbare Mengen davon. Mehr als wir ausgeben könnten. Ich werde dich nun etwas fragen. All die sagenumwobenen Geschichten, die wir uns gegenseitig erzählen, bei denen wir große Augen machen, handeln wovon?«, er drehte sich zu Emren.

Emrens Natur entsprach es nicht, einfach darauf los zu reden und unbedachte Worte zu sprechen, deshalb dachte er nach, ehe er antwortete.

»Manchmal sind es Höhlen mit Mysterien und Rätseln, manchmal aber auch nicht erklimmbare Berge.«

Fulander rammte seine Gehhilfe fest in den Boden. »Und was ist immer der Preis für die Mühe, die man erbringt, wenn man in die tiefsten Höhlen gelangt oder die höchsten Berge erklimmt? Was erwartet einen am Ende des Abenteuers?«, fragte er ihn dezidiert.

»Schätze, Gold, Trophäen und solche Dinge«, antwortete Emren zögerlich und begriff sogleich, was er ihm damit sagen wollte.

»Da sagst du es selbst, es geht immer um Schätze und dergleichen. Wir beginnen Kriege und schlachten uns ab, für was?«, fragte er und antwortete angewidert selbst darauf: »Für Gold, für Schätze, Ländereien, fruchtbaren Boden und für Ruhm. Und ich frage dich, findest du es nicht auch lächerlich, dass wir uns für so etwas Materielles oder erfundene Tugenden, die eigentlich nicht von Bedeutung sein sollten, abschlachten und Kriege führen?«

Emren schaute in sich gekehrt zu Boden und senkte sein Haupt, ein beschämendes Gefühl überkam ihn, obwohl er eigentlich nichts dafürkonnte.

»Die Elekuden sind nicht so. Sie sind vom Wesen ganz anders als wir Menschen. Es gibt nur sehr wenige Elekuden, die den Menschen ähneln. Einem davon bist du begegnet, aber auch er würde niemals aus Habgier und Lust jemandem Schaden zufügen. Er sah Dinge, die er nicht hätte sehen sollen. Dieser Ort ist heilig für die Elekuden und jedes Mal, wenn ein Mensch diesen heiligen Boden betrat, hatte derjenige nichts Gutes im Sinn. Verstehst du nun seinen Hass auf die Menschen etwas besser?«

Emren nickte leicht.

»Das ist der Grund, warum wir uns auseinandergelebt haben, man könnte sagen, sie haben sich von uns abgewandt, aber beobachten uns dennoch still und heimlich. Du hast dich bestimmt die ganze Zeit gefragt, warum ich einige Male stehen geblieben bin.«

Emren blickte ihn erwartungsvoll an. »Ja.«

»Alles zu seiner Zeit. Hattest du merkwürdige Visionen oder Träume, seit du im Besitz des Schlüssels bist?«

Emren musste gar nicht lange nachdenken.

»Ja, ich habe unruhig geschlafen und hatte merkwürdige Träume, doch eine Vision hatte ich nicht.

Noxun hatte eine«, antwortete Emren mit bedrückter Miene.

»Ich dachte mir schon, dass es etwas mit diesem seltsamen Schlüssel auf sich hat.«

»Es ist der Schlüssel der Offenbarung, so viel sei gesagt und außerdem sei gesagt, dass der Schlüssel jeden dazu verführt, nach der Wahrheit zu suchen, ob dies nun etwas Schlechtes ist oder nicht bleibt einem selbst überlassen.«

Emren umklammerte fest den Schlüssel, der um seinen Hals hing: »*Die Wahrheit also.*«

»Und die Vision, die Noxun gesehen hatte, war das Werk von Apyllon.«

Bei diesem Namen erschauderte Emren, er kam erst gar nicht dazu zu fragen woher Fulander Noxun kannte. Apyllon, der ewige Feind der Menschen. Er war die größte Angst der Menschen, auch wenn sie versuchten, es als Schauermärchen abzustempeln, war stets, wenn sein Name fiel, die Angst allgegenwärtig.

»Der Schlüssel ist also ...«

»Nein, der Schlüssel ist das Werk eines anderen, aber alles zu seiner Zeit. Eigentlich sind es keine Visionen, die der Schlüssel einem zeigt, auch keine Zukunftsvorhersagen. Es spiegelt lediglich die eigenen Ängste wider und wo Angst und Hoffnungslosigkeit ist, ist auch Apyllon. Der Grund, warum ich immer wieder stehen geblieben bin ist der, dass ganz in der Nähe der Eingang zur Unterwelt liegt, auch genannt Xanadur. Apyllons Reich, wenn man so will.«

Emren stockte der Atem. Nie zuvor hatte er von solch einem Ort gehört und auch kein anderer

Mensch, bis auf wenige Ausnahmen. Ein seltsamer Druck breitete sich plötzlich auf seiner Brust aus und ihm fiel das Atmen schwerer als zuvor.

»Ap... Apyllons Reich, Xanadur?«

»Ja, er kann aber nicht aus seinem Reich und in unsere Welt eintreten, das Licht von Al-Mihar befindet sich in unmittelbarer Nähe. Jedoch schafft er es manchmal, einen Teil seiner Boshaftigkeit austreten zu lassen. Dies liegt daran, dass die Menschen boshafter und skrupelloser geworden sind als jemals zuvor, dies schwächt das Licht. Der Schlüssel zwingt dich zur Wahrheit und du hast Angst vor der Wahrheit. Diese Angst zieht ihn an. Jetzt, da wir hier in seiner Nähe sind, ist seine Präsens noch stärker. Ich habe einige Zauber gesprochen, um dem entgegenzuwirken.«

Irgendwie fühlte sich alles fremd an für Emren. Er hatte tatsächlich Angst, eine Emotion, die er oft unterdrückte.

»Al-Mihar ist ein wunderschöner Kristall, in dem sich all die Liebe und Gutmütigkeit der Menschen sammelt und ihn somit stärkt. Wenn das Böse das Gute überwiegt, sollte klar sein, was geschieht. Ich brauche dir sicherlich nicht zu erklären, was dies für Folgen haben könnte«, beendete Fulander seine Erklärung mit einem tiefen Seufzer.

Emren nickte zaghaft. Er hatte mit all dem nicht gerechnet.

»Und ich soll was mit diesem Schlüssel machen? Die Welt retten? Apyllon besiegen? Ich bin nur ein Mensch und kein Held mit besonderen Fähigkeiten«, meckerte Emren Fulander wütend an. Fulanders rechtes Augenlid zuckte kurz.

»Soll sie doch untergehen, diese abscheuliche und schreckliche Welt, mich bindet ohnehin nichts mehr an sie. Es gibt nichts mehr, das mich hier hält! Wieso ich? Wieso sollte ich, dessen Familie in einer Nacht von Kreaturen, die sich Menschen schimpfen, ausradiert wurde, versuchen, die Welt zu retten? Dieser komische Kristall wird schwächer, umso boshafter die Menschen werden. Möge er zersplittern und in tausend Stücke zerbersten!«, ließ er seiner Wut, die plötzlich wie aus dem Nichts aufkeimte, freien Lauf.

»Schweig, du Narr!«, erhob Fulander seine Stimme. Sie klang so unheimlich laut und durchdringend, dass Emren ein paar Schritte zurückwich.

»Würden deine Kinder und deine Frau wollen, dass solch unbedachte Worte deinen Mund verlassen?«

Emren schloss seine blutunterlaufenen Augen. Er erinnerte sich an seinen Traum, in dem er seine Frau sah, an die Worte, die sie ihm sagte.

»Es mag vielleicht die Zeit derjenigen sein, die boshaft sind. Es mag vielleicht sein, dass skrupellose Mörder herrschen und über Leben und Tod entscheiden. Doch denk an diejenigen, die nicht so sind. Denk an die Armen und Schwachen, welche in der Unterzahl sind. Lohnt es sich nicht, für sie zu kämpfen? Was bleibt diesen Menschen denn, außer die Hoffnung auf bessere Zeiten? Wenn der Kristall noch nicht zersprungen ist, dann weil es da draußen noch Menschen gibt, die hoffen und einander lieben. Izagun, die Elekuden und ich sind bereit dafür zu kämpfen und unsere Leben zu opfern. Wieso? Nun diese Frage wird dir Izagun beantworten, zu dem ich dich geleite. Doch Gebrauche niemals wieder solch unüberlegte Worte«, tadelte ihn Fulander und wandte sich von ihm ab.

Emren ordnete langsam seine Gedanken und kam zur Besinnung. Schweißperlen tröpfelten von seiner Stirn, als er wie wild seinen Kopf schüttelte.

»Es tut mir leid, ich hatte mich für einen Augenblick nicht unter Kontrolle. Etwas in mir hat sich geregt, Rachegelüste und dergleichen, ich konnte dem nicht entgegentreten«, sagte er demütig.

Fulander nickte verständnisvoll. »Das wundert mich nicht, der Schlüssel besitzt zwar keinerlei magische Fähigkeiten, aber seltsamerweise zwingt er einen dazu, nach der Wahrheit zu suchen. Diese ist in uns allen, hinter verrosteten Gitterstäben, in einem Gefängnis, aus dem wir noch nicht gelernt haben auszubrechen. Einem wie dir, der stets vor seiner Angst davonläuft und sich ihr nicht stellt, kann das zum Verhängnis werden. Aber nun lass uns weitergehen.«

Ein plötzliches Schweigen trat ein. Sie gingen weiter, Fulander mit seiner Öllampe voran und Emren dicht hinter ihm. Nach diesem Gespräch fühlte Emren sich wachgerüttelt und sein Verstand war nicht mehr von einem Trauerflor bedeckt. Um sie herum sprossen immer mehr Pflanzen, das Unterholz wurde dichter, wuchs jedoch nicht mehr so wild und durcheinander. Es war eine sehr schöne Anordnung, wie der Garten eines Königs, welcher jeden Tag gepflegt wird. Mit jedem Schritt kamen sie Elurin näher und mit jedem Schritt wurde die Umgebung schöner, dennoch war es immer noch zu dunkel, um die gesamte Pracht zu sehen.

»Warum schimmern die Pflanzen und Blüten hier nicht?«, dachte sich Emren.

»Es muss einen bestimmten Grund dafür geben.«

Der Grund war eigentlich die ganze Zeit vor ihm, beizeiten würde er es erfahren. Sie gingen nun eine steile Böschung hinauf. Der Weg unter ihnen bestand aus einer seltsamen Mischung aus Erde und Sand. Jeder Schritt fühlte sich leichter an als der vorherige, und es schien fast so, als würde der weiche Boden durch ihre Lederschuhe hindurch ihre nackten Füße kitzeln. Der Wegesrand war mit knallroter Amaryllis gesäumt und nun war auch immer wieder ein Zischen im Dunkeln zu hören. Das merkwürdige Gefühl beobachtet zu werden, stimmte Emren nervös. Viele Male schaute er sich um. Er sah aber nichts außer die tiefe schwarze Dunkelheit, die um jeden Preis nichts von der Pracht zeigen wollte, die sie beherbergte.

Plötzlich blieb Fulander stehen, die Öllampe schaukelte noch einige Male in seiner Hand, ehe sie zum Stillstand kam. Er reckte seinen Kopf nach oben und lies die Flamme erlöschen. Ein riesiges Tor aus Wurzeln, so dick wie wohl betuchte Menschen, versperrte ihnen den Weg. Die Wurzeln sprossen noch in die Höhe während sie davorstanden. Emren fehlten die Worte, um zu beschreiben, was da vor sich ging. Der Weg endete hier. Das Tor befand sich zwischen riesigen Kastanienbäumen, welche in einer strikten Anordnung standen und das gesamte Reich umsäumten. Auf den Baumwipfeln befanden sich kleine Plattformen zum Stehen und zwischen den Bäumen waren wacklige Stege, welche jeden einzelnen Baum miteinander verbanden.

»Welch seltsame Magie ist hier am Werk?«, flüsterte Emren ehrfürchtig. Er bemerkte das riesige Tor und die monumentalen Kastanienbäume erst, als sie davorstanden. Kein Wunder, da er doch seinen Blick stets gen Boden gerichtet hatte und nachdachte. Gerade als er seinen Mund schloss, schimmerte das gesamte Gebiet in hellen Farben, als ob jemand mit einem Zauberspruch nur darauf gewartet hätte, alle Lichter auf einmal zu entfachen. Bis eben noch fragte er sich, warum die Blüten nicht mehr schimmerten, und jetzt schien alles so hell und grell, dass er sich für einen Augenblick die Augen zuhalten musste. Nachdem er sie wieder geöffnet hatte, stockte ihm der Atem: der Eingang nach Elurin. Eisblaue Azaleen sprossen aus dem Boden und erleuchteten in derselben Farbe einen kleinen Kreis um sich herum. Weißschwarze Kokardenblumen, welche kleine Kreise bildeten und in deren Mitte sich eine violette Tulpe befand, verblüfften Emren. Hoch oben, in den Baumkronen der Kastanienbäume, schimmerten die Kastanienfrüchte in ihren goldenen und stacheligen Hüllen. Die Bäume sahen aus, als würden an ihnen tausend Laternen hängen. Ab und an sah man die Silhouette eines Elekuden von einem zum anderen Baum huschen, dabei gingen sie so geschickt vor, dass kaum ein Laut zu vernehmen war. Emren, der diese Szenerie mit hochgezogenen Augenbrauen beobachtete, vergaß sich für einen Moment, während sich Fulander, der immer noch vor dem riesigen Tor stand, langsam zu ihm drehte.

»Dies ist der Eingang zum Reich der Elekuden«, sprach er mit gewichtiger Stimme.

Eine andere Stimme hoch oben auf den Baumwipfeln stimmte ein:

»Böse Absichten werden wir nicht dulden!«

Eine rauere und tiefere Stimme fuhr fort:

»Egal ob von Mensch, Pflanze oder Tier.«

Fulander übernahm erneut:

»Egal wie schön etwas schimmert, halte ein, wenn dich packt die Gier.«

Eine kindliche Stimme schrie:

»Kehre in dich und halte ein.«

Fulander ergriff wieder das Wort:

»Alles, was dein ist, ist auch mein.«

Ein anderer Elekude sprach weiter:

»Kehre nun wieder in dich und fahre fort.«

Kulaf sprach nun in einer impulsiven Tonlage:

»Bedenke stets, was du tust, denn dies ist ein heiliger Ort!«

Fulander sprach wieder und wurde dabei lauter:

»So frage ich dich, Menschensohn, was willst du sein?«

Nun waren alle Augen auf Emren gerichtet, gespannt, ob er die Strophe zu Ende bringen konnte. Mit einem heiteren Lächeln antwortete er:

»Ein Mensch, der alles achtet, ganz gleich, ob groß oder klein.«

Die dicken Wurzeln lösten sich aus ihrem Wirrwarr und glitten langsam und lautlos in die Erde, aus der sie gesprossen waren. Emren, der steif dastand und das Geschehene beobachtete wie ein Kind einen Zaubertrick, setzte nun langsam einen Schritt nach dem anderen in Richtung Tor.

All die Elekuden, die auf ihren Posten standen, beobachteten jeden Schritt mit ihren großen pupillenlosen Augen, Emren konnte nicht genau einschätzen, wie viele es waren und stand nun mit einem mulmigen Gefühl auf der Schwelle nach Elurin.

»Hast du Angst?«, feixte Fulander.

»Es ist eine seltsame Mischung aus Angst und Neugier. Einerseits denkt man über die Elekuden nach, die einem Unbekannt sind und nicht weiß, ob sie einem wohlgesinnt sind oder nicht, und andererseits ist dieser Ort so schön und magisch, dass man nicht umhinkommt, weiterzugehen, ohne sich dabei satt zu sehen.«

»Ja, das ist eben unsere Natur, die Neugier ist manchmal größer als der Verstand, und der Verstand manchmal kleiner als die Gier.«

Bei diesen Worten blieb Emren stehen und fixierte Fulander: »Ich kann nicht verhehlen, dass wir Menschen nicht die friedfertigsten Geschöpfe auf dieser Welt sind, dennoch sind wir lernfähig und können auch Gutes tun, wenn wir wollen.«

Fulander kam nicht umhin ein leichtes Lächeln aufzusetzen: »Bedachte Worte, mein Freund, bedachte Worte, aber sage mir, woher dieser Sinneswandel auf einmal?«

Emren tätschelte Fulanders Schulter und sagte mit einem breiten Grinsen:

»Da gibt es einen alten Mann, aus dessen Händen Schatten kommen und der damit sogar Pfeile abfangen kann …«

Fulander konnte sein Lachen nicht unterdrücken und wies ihn mit einer Geste an, durch das Tor zu gehen.

Augen, die nur das sehen, was sie sehen wollen

Die Morgendämmerung brach an. Das imposante Tor aus starken Wurzeln schloss sich hinter Emren, dabei bebte der Boden unter seinen Füßen. Laute peitschende Geräusche tosten durch den Wind und scheuchten den Wald auf. Nach einem tiefen Seufzer der Erleichterung, lief er gemeinsam mit Fulander gemächlich den Weg entlang, der tiefer ins Reich führte. Um sie herum strahlte alles in einem trüben Licht. Große Pfähle, die mit weißen Narzissen geschmückt waren, dienten als Beleuchtung für die Umgebung, auch der Wegesrand war mit prachtvollen Blumen und Pflanzen geschmückt, die er noch nie zuvor gesehen hatte. Eine riesige Grasfläche bedeckte das gesamte Land in Elurin. Gigantische Linden, deren Blätter golden schimmerten, ragten aus der Erde, so groß, dass Emren seinen Kopf nach oben recken musste, um bis zum Baumwipfel zu sehen. Doch etwas war an diesen Bäumen anders, die Baumstämme hatten Tore, die ins Innere des Baumes führten. Das Innere der Bäume war hohl. Ein Rahmen aus silbrigen Steinen, auf denen etwas gemeißelt war, verzierte die Torbögen.

Emren blieb stehen und fragte verdutzt:

»Was ist das für ein seltsamer Hohlraum im Baumstamm?«

Fulander hielt ebenfalls ein und rammte seinen Gehstock sanft in den Boden, um sich darauf abzustützen.

»In diesen Hohlräumen schlafen die Elekuden.«

»Ist es denn nicht viel zu klein für eine Bleibe?«, erwiderte Emren verblüfft.

Fulander schüttelte den Kopf. »Sie wohnen nicht darin, sie schlafen nur in ihnen. Jeder Elekude, egal ob groß oder klein, hat einen Baum, in dem er übernachtet, dieser wächst mit ihm, vom Samen bis zum ausgewachsenen Baum.«

»Wo leben sie dann? Was essen und trinken sie? Haben sie denn keinen Rückzugsort?«, stocherte Emren nach mehr Wissen lechzend nach.

Fulander strich durch seinen langen, grauen Bart. »Die Elekuden sind nicht wie wir Menschen. Sie ähneln uns sehr, aber sind dennoch anders. Was sie essen und trinken wirst du noch erfahren.«

Bei diesen Worten knurrte Emrens Magen. Seit seinem Aufbruch hatte er nichts mehr gegessen und nur ein wenig getrunken. Vor lauter Aufregung hatte er das vergessen. Jetzt, da alles vorbei war und die Situation sich beruhigt hatte, machte sich der Hunger bemerkbar. Fulander fuhr ungeachtet dessen fort: »Sie leben tagsüber gemeinsam auf den großen Weiden Elurins. Geschlossene Räume mögen sie nicht, deshalb wirst du auch keine Hütten oder Ähnliches sehen, nur Plattformen aus prachtvollen Steinen, die Überdacht sind, aber keinerlei Wände haben, nur die Pfeiler, die das Dach tragen. Auf diesen Plattformen essen und trinken sie, singen Lieder und rezitieren Gedichte.

Sie leben zusammen in allem was sie tun und lassen. Sie besitzen nichts, was sie einander stehlen könnten, jenes würden sie ohnehin nie tun, da es nicht ihrer Natur entspricht und ich muss sagen, sie sind ausgesprochen glücklich, so wie sie leben. Auch ohne Hab und Gut.«

Unter seinen Umhang holte er eine lange hölzerne Pfeife hervor, die er zu rauchen begann.

»Wie hast du sie entzü…?«, fragte Emren, ehe er sich unterbrach und stumm durch die Gegend schaute, als hätte er nichts gesagt.

»Du fragst dich, wie ich sie entzündet habe?«, nuschelte Fulander, während er kräftig an der Pfeife zog und der Qualm fast sein gesamtes Gesicht verdeckte.

»Das wollte ich fragen, aber irgendwie scheint es mir so, als wäre es besser, dir keine Fragen zu stellen.«

»Warum?«, antwortete Fulander und tat so, als ob er von nichts wüsste.

»Irgendwie stellen sich mir dann noch mehr Fragen als zuvor«, sagte Emren schmunzelnd.

»Die Antwort ist die Frage, mein Freund«, gab ihm Fulander zu bedenken.

Emren grübelte ein wenig darüber nach, ehe er sich wieder den Elekuden zuwandte. Diese kletterten geschickt die Kastanienbäume hinab und liefen scharenweise auf ihn zu, jetzt da er das Tor passiert hatte und in ihrem Reich war. Kleine Kinder sowie Erwachsene, einige Hand in Hand, näherten sich vorsichtig Emren, der ein wenig nervös wurde.

»Du brauchst keine Angst zu haben«, flüsterte ihm Fulander zu.

Nachdem sie einen Kreis um Emren gebildet hatten, lief ein kleiner Elekude, der ihn bis zu den Knien reichte, auf ihn zu. Seine smaragdgrüne Haut schimmerte ein wenig durch das trübe Licht der Narzissen. Als er vor Emren stand, sagte er mit einer liebevoll naiven Stimme: »Wer bist du?«

Emren, der sich den Elekuden gegenüber sehr beflissen zeigen wollte, sank auf die Knie, so dass er auf derselben Höhe, wie der junge Elekude war, und dann sagte er mit heiterer Miene: »Mein Name ist Emren, und ich komme nicht von weit her.«

»Möchtest du mit mir spielen?«, fragte der Junge aufgeregt und machte dabei große Augen.

Die anderen Elekuden blickten gespannt zu Emren, voller Erwartung darauf, was er antworten würde. Bei diesen Worten kullerte eine Träne über Emrens Wange.

»Wieso weinst du?«, fragte der Junge verwundert, »wenn du nicht mit mir spielen möchtest, dann …«

»Es ist nicht so, dass ich nicht mit dir spielen möchte«, schluchzte Emren, »für einen Moment ist mir mein Sohn in den Sinn gekommen, der mich auch immer gefragt hatte, ob ich mit ihm spielen möchte.«

Und dann geschah etwas, was niemand hätte ahnen können, selbst Kulaf, der aus den hinteren Reihen das Geschehene beobachtete, staunte. Der Junge umarmte Emren, der völlig überwältigt ganz starr wurde.

»Du brauchst nicht zu weinen, ich bin ja da«, sagte der Junge.

Die Elekuden um sie herum schauten ganz mitgerissen zu, Fulander zog an seiner Pfeife und fixierte mit geschlossenen Augen Kulaf. Emren, der sich nur langsam aus seiner Starre lösen konnte, umarmte den Jungen ebenfalls, dabei machte er einen verhärmten Gesichtsausdruck.

»Komm, mein Freund, später hast du noch reichlich Zeit zum Spielen«, sagte Fulander augenzwinkernd, um die Stimmung aufzulockern und legte dabei eine Hand auf Emrens Schulter.

»Doch zuallererst füllen wir deinen leeren Magen.«

Der Junge löste die Umarmung und rannte zu den anderen Elekuden, die sich nach und nach auflösten und in ihre Baumstämme zurückkehrten. Einige von ihnen bezogen wieder Stellung auf ihren Wachposten oben auf den Bäumen. Dabei kletterten sie mit solch einem Geschick, dass selbst die flinksten Nagetiere in der Tierwelt sie darum beneiden und mit Nüssen bewerfen würden. Emren rappelte sich auf und versuchte wieder normal zu klingen: »Ich frage mich die ganze Zeit über schon, was diese Elekuden essen und trinken. Ich glaube kaum, dass sie Fleisch oder dergleichen zu sich nehmen.«

»Milch und Honig«, antwortete Fulander und wies ihn mit einer Handbewegung an, ihm zu folgen. Emren erinnerte sich plötzlich an seinen Traum, nachdem er den Schlüssel an sich genommen hatte und daran, wie er aus einem Bach, in dem Milch floss, getrunken hatte.

»Dann bin ich also zuvor schon einmal hier gewesen«, grübelte er nach, während sie den gewundenen Weg entlanggingen. Doch während er stumm und leise Fulander folgte, sah er immer mehr Dinge, die er nie zuvor gesehen hatte. Ein wenig abseits des Weges saßen zwei sehr hellhäutige Elekuden auf einer Plattform, die Stühle und Tische waren aus edel verziertem Holz. Auf dem Tisch waren zwei Schalen. Die eine Schale war aus weißem und die andere aus schwarzem Marmor gefertigt. Die beiden Elekuden schlürften jeweils aus einer der beiden Schalen und wie Emren vermutete, war in einer Honig und in der anderen Milch. Jedoch fragte er sich, ob die Farben der Schalen eine nähere Bedeutung hatten.

»Alter Mann«, rief er Fulander nach.

Und diesmal war es Fulander, der zusammenfuhr und dann ganz starr wurde. Für einen Moment erinnerte er sich an Frank, der auch so nach ihm gerufen hatte. Noch ehe Emren etwas davon bemerkte, riss er sich zusammen.

»Was haben die Farben dieser Schalen für eine Bedeutung?«, fuhr Emren fort.

Fulander zog wieder genüsslich an seiner hölzernen Pfeife: »Sehr scharf beobachtet, mein junger Freund«, er blies den Rauch aus und fuhr fort. »Schwarz steht für die Bedrohung. Entfernt man alles Licht aus einem Raum, so breitet sich Schwarz darin aus und die Dunkelheit verdeckt bekanntlich alles. Alles bis auf die Farbe Weiß, denn sie ist der Zusammenschluss aller Farben des Lichts. Entgegen der Meinung, die Farbe Weiß sei einfach **nichts**, ist sie sehr wohl etwas, etwas sehr Besonderes sogar. Genau genommen ist sie alles. Sie steht für Hoffnung, das Licht, den Glauben an etwas, Reinheit und Unschuld.

Durch diese Farben führen sie sich das tagtäglich vor Augen und denken daran.«

»Gut und Böse«, murmelte Emren vor sich hin, während er den Elekuden zusah.

»Das Böse an sich existiert nicht in der Form, die du dir vorstellst. Es entspringt dem Guten, also aus uns. Ohne das Licht, gäbe es keinen Schatten, wo also Licht ist, ist auch Schatten. Die Kunst ist es, immer wieder in sich zu gehen, zu forschen und dann zu ermitteln, was Licht ist und was Schatten.«

»Ich verstehe«, grummelte Emren, während er seine Gedanken neu ordnete. »Doch eine Sache bereitet mir Kopfzerbrechen.«

Fulander, der gerade dabei war, weiterzugehen, drehte sich auf den Fersen um und schaute ihn fragend an.

»Wie siehst du die Dinge eigentlich? Deine Augen sind die ganze Zeit über verschlossen und danach zu urteilen bist du blind, aber dennoch siehst du alles.«

Vor sich hin qualmend rezitierte er Folgendes Gedicht:

»*Die Geschichte des Mannes, der nur das sehen wollte,*
was er sah.
Er beschwerte sich immerfort, wie schmutzig die Wäsche
des Nachbarn doch war.
Bis ihn sein Nachbar auf etwas aufmerksam machte
und lachte.
Nicht die Wäsche war es, die dreckig war,
sondern sein Fenster, das seinen Blick
schmutzig machte.«

»Lehrreiche Geschichte, aber nicht die Antwort auf meine Frage«, schmunzelte Emren.

Fulander wandte sich von ihm ab und sagte mit heiterer Stimme:

»Die Geschichte ist zu lang, um sie jetzt zu erzählen, mein Freund.«

Sie folgten weiter dem gewundenen Weg, der allmählich steiler bergab verlief und in eine Kreuzung mündete, in der die Wege sich in alle vier Himmelsrichtungen streuten. Fulander nahm den Weg, der nach Westen führte und nach einigen Minuten des Gehens, war strömendes Wasser zu hören. Emren wusste bereits, was auf ihn zukam und war nun aufgeregter denn je, jenen Ort zu sehen, an dem er in seinen Träumen mit Izagun sprach. Fulander blieb unversehens an einer Stelle stehen, von der aus ein schmaler Weg zu einer Böschung führte. Er stützte sich auf seinen Gehstock, wie ein alter, gebrechlicher Mann und sagte: »Geh und trink dich satt, ich warte hier. Folge dem kleinen Pfad bis zum Bach.«

Emren zögerte ein wenig, das Gefühl, ohne Fulander an seiner Seite weitergehen zu müssen, bedrückte ihn ein wenig. Nach kurzem Zögern lief er los. Es dauerte nicht lange, und er sah jenes Bild, was er zuvor in seinem Traum gesehen hatte. Den Bach, in dem Milch statt Wasser floss, kleine Kinder und auch ältere Elekuden, die seiner Meinung nach, die Eltern sein müssten, waren am Ufer und füllten kleinere Behälter. Emren stieg bis zum Ufer hinab und ihre Blicke trafen sich, er wusste nicht genau, ob er sie mit einem *»Seid gegrüßt«* oder einer anderen bestimmten Geste grüßen sollte, und so kam es, dass er sich in einer unangenehmen Situation wiederfand. Den Elekuden gegenüber wollte er sich stets beflissen zeigen und ihnen den nötigen Respekt erweisen. Deshalb verneigte er sich und starrte auf den Boden und sagte zaghaft:

»Seid gegrüßt, werte Elekuden, wenn ihr gestattet, würde ich gerne etwas aus diesem Bach hier trinken.«

Die Elekuden starrten ihn an, sowohl die älteren als auch die jüngeren unter ihnen. Emren überkam ein unbehagliches Gefühl, er bereute es, von Fulanders Seite gewichen zu sein. Zu seiner Überraschung lachten die Elekuden plötzlich lauthals auf. Verwirrt erhob er sein Haupt und merkte erst dann, dass sie ihn auslachten.

»Warum lacht ihr?«, fragte er ganz vorsichtig nach.

Eine weibliche Elekudin antwortete: »Du brauchst nicht so überschwänglich zu sein.«

»Ich dachte, dies sei ein heiliger Ort, deshalb wollte ich nicht respektlos sein.«

Ein anderer Elekude von plumper Gestalt antwortete mit einer tiefen, aber dennoch sanften Stimme: »Jeder Ort ist heilig, Mensch. Nur würdigen deinesgleichen es zu wenig. Dieser Ort hier ist unsere Heimat, die einst größer war, doch mit jeder Hoffnung, die schwindet, schwinden auch wir ein wenig, und deshalb geben wir besonders acht auf dieses Gebiet.«

Emren wollte, aber konnte nicht genau über das Gesagte nachdenken, da sein leerer Magen es nicht zuließ, vernünftig zu denken. Der Elekude, mit dem er eben sprach, erkannte dies und sagte ihm, dass er erst einmal trinken und zu Kräften kommen sollte. Emren sank auf die Knie und begann nun mit seinen

Händen Milch zu schöpfen und trank. Ein überwältigendes Gefühl überkam seinen gesamten Körper, all die Sorgen und der Kummer waren vergessen und stattdessen breiteten sich Glücksgefühle aus. Eine junge, schüchterne Elekudin mit langen, schwarzen Zöpfen näherte sich ihm von der Seite ohne, dass er es mitbekam und stupste ihn an. Emren wandte sich leicht erschrocken zu ihr und fragte ganz höflich, was sie von ihm wolle. Sie antwortete nicht und wurde noch verlegener.

»Du brauchst nicht so schüchtern zu sein. Möchtest du mich etwas fragen?«, erkundigte sich Emren sehr freundlich.

Doch die junge Elekudin schüttelte nur ganz heftig ihren Kopf und hob ihm eine schwarze Schale entgegen, die er zuvor nicht bemerkt hatte. Es sah genauso aus, wie die Schalen, aus denen die Elekuden vorhin getrunken hatten. Nachdem sie ihm die Schale überreicht hatte, rannte sie, ohne ein Wort zu sagen, weg, ohne dass sich Emren dafür bedanken konnte. Es war Honig in der Schale. Gespannt darauf, wie er sich nach dieser Kost fühlen würde, schlürfte er die Schale aus. Er war flüssiger als der herkömmliche Honig, der ihm bekannt war. Er besaß fast dieselbe Konsistenz wie Wasser und schon nach dem ersten Schluck überkam ihn erneut ein wunderschönes und unbeschreibliches Gefühl. Emren fühlte sich mutiger und kräftiger als jemals zuvor.

»Welch ein schöner Ort, welch schöne Wesen, ich kann nicht verstehen, wie es meine Vorfahren zustande brachten, sich von den Elekuden zu trennen,

und auch stimmt es mich traurig, nicht schon eher auf sie gestoßen zu sein«, dachte sich Emren, während er nach einer Weile zu Fulander zurücklief. Dieser verharrte immer noch an derselben Stelle, wo er ihn zurückgelassen hatte. »Schön, du hast dich satt getrunken, dein Magen dürfte gefüllt sein«, sagte er und lief einige Schritte voraus. »Komm! Wir haben lange genug getrödelt, Izagun erwartet uns bereits.«

Emren hastete ihm eilends nach.

»Ach ja, Izagun, derjenige, weswegen ich diese Reise überhaupt angetreten bin. Ich hatte ihn ganz vergessen.«

Sie liefen den Weg zurück bis zur Kreuzung, an der sie den Weg Richtung Westen genommen hatten. Diesmal jedoch gingen sie geradeaus und der Weg wurde nun noch breiter und die Umgebung noch belebter. Viele Elekuden tummelten sich in der Umgebung, manche aßen und tranken, wie schon die Elekuden, die er zuvor gesehen hatte und andere pflegten Füchse. Füchse, die fast so groß waren wie Pferde. Emren blieb kurz entgeistert stehen und traute seinen Augen nicht. Aber wie oft er auch hinschaute, es waren wirklich Füchse und keine Pferde oder dergleichen. Schwarze, weiße, aber auch einige mit aschgrauem Fell, schmiegten sich in den Schoß einer Elekudin, diese streichelte sie und stellte ihnen jeweils eine große Schale hin. Die Schale war gefüllt mit Milch und die Tiere tranken wohlwollend. Nebenan versuchten junge Elekuden die großen Linden hochzuklettern. Einige von ihnen schafften es bis zu den

Plattformen auf den Baumwipfeln, die Mehrheit jedoch rutschte schlitternd hinab. Ein Erwachsener Elekude, der sie beaufsichtigte, lobte sie dennoch und führte ihnen vor, wie es richtig ging.

Langsam näherten sie sich einer Linde, die etwas anders war als die anderen. Ihr Baumstamm war viel breiter und ihr Hohlraum bot Platz für mehrere Personen. Sie war so breit wie ein Saal, in der ein König Gäste empfängt. Die Baumrinde war voller Schnitzereien und Zeichen der Elekuden. Goldene Nelken hingen am Torbogen und sonderten einen gelblichen Schleier ab, der in der Luft einige Sekunden waberte und sich dann auflöste.

Als sie unmittelbar vor der Linde standen, blieb Fulander stehen und wandte sich Emren zu. »Wir sind da, aber ich habe eine Frage an dich.«

Emren blieb gespannt stehen. »Und die lautet?«

Fulander blickte nachdenklich hoch zu den Baumwipfeln.

»Er wird dir viele Fragen stellen, was wird deine Antwort sein?«

Emren warf ihm zunächst einen verdutzten Blick zu, ehe dieser Ausdruck einem Lächeln wich. »Es gibt keine Antworten«, sagte er tiefgründig.

»Warum?«

»Die Antwort ist die Frage«, sagte Emren und betrat als Erster den Raum. Fulander konnte sich das Lachen nicht verkneifen und folgte ihm.

Und wieder einmal konnte Emren seine Bewunderung nicht im Zaum halten; so schön war es dort. An den Wänden sprossen himmelblaue Zierkohlen und ergaben ein Bild, das so aussah wie ein Mond, der auf einen kleinen Teich scheint, die Blüten wogten ein wenig und so erschien das Bild noch lebendiger. Viele Elekuden, junge als auch Erwachsene, hielten sich hier auf. Auf der rechten und linken Seite des Saales stand jeweils ein langer Tisch aus edlem Holz und es gab sehr viele Stühle, die für mehrere Personen Platz boten. Von innen wirkte der Saal noch größer als von außen. Eine Treppe mit wenigen Stufen, die so breit war wie der Saal, führte hinauf zu einem Thron, der nicht besetzt zu sein schien. Ein Thron, der seinesgleichen suchte, aus goldschimmerndem Marmor, so etwas hatten Emrens Augen noch nie vernommen. Schwarze Edelsteine waren in den Armlehnen eingearbeitet und die Lehne war doppelt so groß, wie er sie sonst kannte. Zu seiner Überraschung spielten Kinder auf dem Thron und alberten herum.

»Wird Izagun denn nicht wütend, wenn er sieht, wie Kinder auf seinem Thron herumalbern?«, fragte Emren besorgt.

Zu einer Antwort Fulanders kam es nicht. Eine andere Stimme antwortete stattdessen. Die Stimme war so sanft und einfühlsam wie die Stimme eines Vaters, der seinem Neugeborenen ein Wiegenlied zum Einschlafen vorsingt.

»Hier in Elurin ist keiner wichtiger als der andere, jeder ist gleich und hat theoretisch dieselben Vorbehalte. Diese wiederum existieren nicht in Elurin. Denn jedem steht es frei, das zu tun, was er möchte.«

Emren ging pietätvoll auf die Knie, sobald er die Stimme hörte und wiedererkannte. »Verzeiht meine

Unwissenheit«, sagte er demütig, und das obwohl er die Person, die gesprochen hatte, immer noch nicht sah. Fulander hingegen blieb gelassen stehen und lächelte heiter.

»Du hast nichts Böses getan, wofür du dich entschuldigen müsstest, Emren, und wie ich bereits erwähnte, ist hier jeder gleich, ganz gleich, ob König oder einfacher Bauer. Du würdest mich beleidigen, wenn du mich nicht ansehen und dich jedes Mal hinknien würdest. Wenn dir danach ist, darfst du sogar auf dem Thron Platz nehmen. Er gehört allen«, antwortete Izagun mit seiner liebenswürdigen, aber dennoch Respekt einflößenden Stimme.

Etwas widerspenstig richtete sich Emren auf. Fulander nickte Izagun zu. Er trug eine kleine Elekudin auf den Schultern, die er sachte absetzte, so dass sie zu den anderen Kindern gehen und mit ihnen spielen konnte. Izagun trug eine blaue Tunika mit goldenem Saum, darüber hatte er einen langen perlweißen Stoffumhang angelegt, seine langen weißen Haare gingen bis zu seiner Hüfte.

Von seiner Aura geblendet kam Emren nur schwer zu Wort.

»Da bin ich nun, Ihr habt nach mir gerufen und ich bin Eurem Ruf gefolgt.«

Izagun antwortete zunächst nicht und nahm am langen Tisch auf der rechten Seite Platz. Die anderen zwei saßen sich ebenfalls an den Tisch. Emren kam nicht umhin sich immer wieder in Izaguns weißschimmernden Augen zu verlieren, dieser begann laut zu schnauben und sagte: »Ich hoffe, deine Reise hierhin hat dich nicht allzu sehr mitgenommen.«

Emren setzte ein gestelltes Lächeln auf und sagte leicht gereizt:

»Sie wäre angenehmer gewesen, wenn Kulaf nicht versucht hätte, mich umzubringen.«

Fulander schwenkte seinen Kopf zu ihm hinüber und blickte ihn streng an.

»Schon gut Fulander, mein alter Freund«, beschwichtigte Izagun ihn. »Ich weiß, wie Kulaf ist, das weiß jeder Elekude hier. Er hegt einen sehr großen Groll gegen die Menschen.«

Emren nickte ihm zustimmend zu. »Das ist mir auch klargeworden, einen Tag zuvor hatte er Noxun angegriffen und schwer verwundet. Ich nehme an, Ihr wisst wer Noxun ist, ansonsten würde das alles hier keinen Sinn ergeben. Mir ist mittlerweile klar, warum er hierherkommen wollte. Er ist ebenfalls Eurem Ruf gefolgt. Aber hätte ich ihn nicht gerettet dann …«

»Und doch warst du da und hast ihn gerettet und ja, wir wissen, wer Noxun ist. Wir kennen ihn besser als er sich selbst«, unterbrach ihn Fulander.

Izagun machte einen verhärmten Gesichtsausdruck.

»Ich dachte, wenn Kulaf noch einmal die Möglichkeit bekäme zu beweisen, dass er im Grunde nicht böse ist, sondern nur seine Sichtweise getrübt wurde …«

»Seine Haut ist gräulicher geworden«, fügte Fulander gedankenverloren hinzu.

Emren horchte auf. Er hatte nicht gewusst, dass Kulafs Hautfarbe sich verändert hatte, weil er ihn zuvor nicht gesehen hatte.

»Ja, nach dem Angriff auf Noxun hat die Veränderung begonnen«, antwortete Izagun voller Kummer.

»Ich verstehe nicht …«, setzte Emren an und wurde ein weiteres Mal von Fulander unterbrochen.

»Elekuden, die Böses tun, Menschen, Tiere oder Pflanzen aus Hass angreifen, wandeln sich. Ihre Haut wird mit jeder Gräueltat dunkler, ihr Wesen finsterer und ihr Handeln schrecklicher. Bis sie schließlich in einen Schatten fallen, aus dem es kein Zurück mehr gibt und kein Licht dieser Welt sie erleuchten kann.«

Emren verstand, worauf er hinaus wollte und jetzt, wo er so darüber nachdachte, tat ihm Kulaf ein wenig leid. Es herrschte unangenehme Stille, die von Emren unterbrochen wurde.

»Ich denke nicht, dass er gänzlich böse ist.«

Fulander lächelte verschmitzt. Izaguns Gesichtszüge nahmen eine Form an, die tiefste Dankbarkeit ausstrahlte.

»Wäre er wirklich böse, dann würde ich jetzt nicht mit Euch hier am Tisch sitzen. Etwas Gutes schlummert ihn ihm.«

»Wahre Worte, mein junger Freund«, nickte ihm Fulander übereinstimmend zu.

»Ich danke dir für deine Weitsicht und deine Weisheit, du bist ein edler Mann, Emren«, lobte ihn Izagun. »Doch nun möchte ich dir sagen, warum ich dich darum gebeten habe, hierherzukommen und was es mit

Noxun auf sich hat. Du hast da etwas bei dir«, fuhr er fort und deutete auf den Schlüssel.

Emren senkte seinen Kopf nach und betrachtete ebenfalls den schwarzen Schlüssel.

»Der Schlüss…«, Izagun hörte plötzlich auf zu reden und riss seine Augen auf, so als ob ihm jemand heimtückisch in den Rücken gestochen hätte.

Der Boden fing an zu beben. Ein unbehagliches Gefühl durchdrang Emren plötzlich, doch er konnte sich nicht erklären, was es genau war. Schreie waren von draußen zu hören, Dunkelheit bereitete sich aus, die weder der Nacht glich noch dem Schatten, den ein Mensch wirft.

Der Boden bebte noch einmal und diesmal so heftig, dass die Stühle krächzend durch den Raum scharrten. Fulander erhob sich ruckartig und lies seinen Gehstock mithilfe seiner Schatten zu sich gleiten. Izagun regte sich immer noch nicht. Er saß mit aufgerissenen Augen da und blickte verwirrt durch die Gegend. Emren behielt die Nerven, ging zu ihm, um ihn wachzurütteln. Doch als er ihn anfassen wollte, geschah es. Alles blieb stehen. Die Zeit verging nicht mehr. Weder Fulander noch Izagun bewegten sich. Nur Emren und die Dunkelheit, die sich immer weiter um ihn herum ausbreitete und ihn drohte wie ein Sog zu verschlingen, standen nicht still.

»Komm. Komm zu mir!«, schrie eine tiefe, sinistere Stimme.

Emren, der um sich herum nichts weiter wahrnahm als Finsternis, blieb überraschenderweise gefasst.

»Das werde ich!«, blaffte Emren zurück.

Das Gelächter der finsteren Stimme erzeugte ein stygisches Echo.

»Was ist? Zeig dich!«, schrie Emren wutentbrannt. Stille herrschte für einen kurzen Moment.

»Ich bin doch schon hier!«, schallte Apyllons abgrundtiefe Stimme von allen Seiten wieder.

Die Schatten um Emren zogen sich zurück, und dann, ganz unversehens, stand er wieder da, wo er eben noch stand, mit Fulander und Izagun. Die Zeit lief wieder wie gewohnt weiter.

Izagun stand auf und machte unkontrollierte Bewegungen mit seinen Händen. Fulander rannte raus aus der großen Linde, Emren stand verwirrt da und begriff immer noch nicht so richtig, was vor sich ging. Der Schlüssel um seinen Hals fing an zu glühen. Unter Schmerzen versuchte er ihn abzulegen und stieß dabei einen grellen Schrei aus.

»Was ist los?«, rief ihm Fulander zu, während er von draußen hineineilte.

Izagun wirkte immer noch benommen. Mit unkoordinierten Bewegungen ging er zu seinem Thron und nahm Platz. Die Elekuden um ihn herum hatten alle einen verängstigten Gesichtsausdruck.

»Arghhh! Dieser Schlüssel, ich bekomme ihn nicht weg!«, krächzte Emren. Stechende Schmerzen trafen seine Brust, und es schien, als würde der Schlüssel glühend seine Haut versengen, ohne dass sich dabei eine Narbe bildete.

Fulander schaute mit geschlossenen Augen ratlos um sich. »Izagun!«, rief er.

Izagun schwenkte geruhsam sein Haupt zu ihm, seine Augen jedoch, waren leer und sahen nicht in diese Welt.

»Izagun, alter Freund. Komm zu dir! Was ist nur los mit dir?«

Und auch draußen verfiel jeder in Panik, Schreie und das Gewimmer von jüngeren Elekuden waren zu hören. Emren fiel auf die Knie und presste seine Hände gegen seine Schläfe, wie ein Irrer, der nicht mehr bei Trost ist.

»Junge, reiß dich zusammen!«, sagte Fulander, während er versuchte ihn auf die Beine zu helfen.

Endlich sagte Izagun etwas, wenn auch nur vor sich hin murmelnd:

»Das Licht, das Licht Al-Mihars ist nicht mehr an seinem Platz.«

Fulander ließ bestürzt seinen Gehstock fallen.

»Die Pforten zur Unterwelt sind nun geöffnet«, fügte er nach einer Weile hinzu.

In Fulanders Ohren wiederholte sich das Wort *geöffnet* tausende Male.

Emren schien ohnmächtig geworden zu sein, denn er lag reglos auf dem hölzernen Boden, das Gesicht zur Seite gewandt. Fulander war der Einzige, der noch klar denken konnte, doch auch er wusste nicht so recht, was er in dieser Situation tun sollte. Izagun grummelte immer noch geistesabwesend vor sich hin. Die Kinder in dem Saal fingen an zu wimmern und schauten schreckhaft nach draußen. Und dann gellte ein ohrenbetäubender Lärm durch die gesamte Stadt, es hörte sich an wie etwas Großes, das plump und ohne Auftrieb auf den Boden gestürzt war. Noch mehr Geschrei durchflutete die kühle Morgenluft, die Elekuden außerhalb der großen Linde liefen wie wild ziellos umher. Fulander hatte eine schreckliche Vorahnung, die sich als wahr herausstellen sollte. Mit bedachten Schritten begab er sich nach draußen, hinter sich ließ er einen völlig irritierten Izagun zurück und nicht unweit von ihm entfernt Emren, der bewusstlos auf dem Boden lag.

Ein mächtiges, großes Ungeheuer hatte seine Krallen in die Erde gerammt und wütete wie eine Bestie, die nach langer Gefangenschaft wieder auf freiem Fuß war. Ein Schlag mit seinen kräftigen Armen genügte, um Bäume mitsamt ihren Wurzeln rauszureißen. Fulander stockte der Atem, er hatte in seinem langen Leben schon vieles gesehen, doch solch ein Geschöpf war ihm noch nie unter die Augen getreten. Es hatte vier riesige, schwarze Flügel auf dem Rücken und einen riesigen Körper. Es trug einen eisernen Helm mit einem Schlitz, aus dem rote Augen glühten, die alles zu versengen drohten, was ihnen zu nah kommen würde. Durch seine schlitzartigen Nasenlöcher atmete es stoßweise und so laut, dass einige der Kinder in der Umgebung jedes Mal erzitterten, wenn es seinen Atem ausstieß. Schwarzer Sabber tropfte aus seinem Maul und als es die Zähne fletschte, waren seine Spitzen und tödlichen Reißzähne zu sehen. Seine pechschwarze, ledrige Haut war durch seinen muskulösen Körper bis zum Zerreißen angespannt.

»Bringt die Kinder in Sicherheit und jeder freie Mann wird mir im Kampf zur Seite stehen!«, befahl

Fulander mit einer Stimme, die tausend Mann hätte zum Kampf anspornen sollen.

Doch die Elekuden antworteten nicht und keiner handelte. Sie alle waren traumatisiert und perplex. Nur die Kinder konnten sich frei bewegen, diese jedoch hatten solche Angst, dass sie nur auf dem Boden kauernd wimmerten.

»Kommt zur Besinnung, ihr Hüter der Erde!«, schrie Fulander.

Das Ungeheuer reagierte prompt und rannte auf eine Gruppe Kinder zu, die bei den Füchsen stand. Die Tiere reagierten blitzschnell und gingen zum Angriff über, um die Kinder zu beschützen. Diese Mühe war vergebens, mit nur einem Fausthieb hatte die Bestie sie vom Boden gefegt, als wären sie nichts weiter als Grashalme. Mit einer ungeheuren Wucht knallte einer der Füchse gegen eine Eiche und fiel reglos zu Boden, einige andere wurden außer Sichtweite geschleudert, für sie kam ebenfalls jede Hilfe zu spät. Die Kinder bekamen noch mehr Angst und kreischten um Hilfe. Fulanders Aufforderung hatte einige der Elekuden wachgerüttelt, diese kamen aber nur sehr schwer vorwärts, da sie immer noch wie gelähmt waren. Mit mächtigen Schritten ging das Monster weiter auf die Kinder zu.

»Tanaria! Hilf uns, bitte!«, rief eines der Kleinen zu der Elekudin, die eben noch die Füchse gefüttert hatte und nun konfus zum Himmel schaute.

Da stand das Ungeheuer nun vor den Kleinen und bäumte sich auf, noch einmal brüllte es entschlossen die Kinder an, um zu zeigen, dass es keiner mit ihm aufnehmen konnte. Mit seiner riesigen Faust holte er aus und war kurz davor, die Kinder wegzufegen. Doch seine Faust kam nie zum Zuge, denn mit einer Person hatte er nicht gerechnet: Fulander.

Seine Schatten hielten den gewaltigen Arm des Ungeheuers fest. Sichtlich überrascht blickte das Monster über seine Schultern und wollte nicht wahrhaben, was eben geschehen war. Dies versetzte das Monster in noch mehr Rage und es holte noch einmal aus; nun mit dem anderen Arm, doch auch diesen fing Fulander mit seinen Schatten ab.

»Wie wäre es, wenn du aufhörst zu spielen und dich um mich kümmerst?«, provozierte ihn Fulander.

Das Ungeheuer wandte sich von den Kindern ab und ging nun langsam auf Fulander zu.

»Jetzt!«, rief Fulander.

Gewaltige Wurzeln schossen aus dem Boden und versuchten, das Monster zu fesseln. Einige Elekuden waren offenbar wieder bei Sinnen und hatten sich geräuschlos mit Fulander verständigt. Es war eine Kraft, die nur sie beherrschen konnten, nur sie konnten mit der Natur sprechen und sie bitten, ihnen ihre Kraft zu leihen und diese Bitte wurde erhört. Das Ungeheuer kam zum Stillstand. Dornige Ranken schlängelten sich um seine Fußgelenke, mit Tulpen bestückte Lianen wanden sich um seine Hände. Eines war gewiss, das Monster blieb nicht stehen, weil es nicht mehr konnte, es blieb nur stehen, um zu beweisen, dass es sich mit Leichtigkeit befreien konnte. Die Elekuden fielen erschöpft zu Boden. Sie hatten ohnehin schon nicht genügend Kraft gehabt und waren nun gänzlich überanstrengt.

Da standen sie, Fulander und das Ungeheuer. Keiner konnte ihm helfen. Fulander schoss einige Schatten aus den Händen, sein Widersacher wich geschickt aus und, riss sich von den Wurzeln los und lief unbeeindruckt auf ihn zu. Noch einmal schossen Schatten aus seinen Händen und verfehlten ein weiteres Mal. Das Monster stand nun vor ihm und bäumte sich auf. Es hob seine brachialen Arme in die Luft und wollte Fulander mit einem Schlag zerquetschen. Dieser hielt die Arme immer noch ausgestreckt, um seine Schatten aufrechtzuerhalten, und gerade als das Monster die Fäuste niederregnen lies, lies Fulander zwei riesige Baumstämme, die das Monster zuvor aus dem Boden gerissen hatte, gegen seinen Körper knallen. Fulander hatte vor einigen Augenblicken sein Ziel absichtlich verfehlt.

Der monumentale Körper schwankte nun und wirkte ein wenig benommen, langsam sank es auf die Knie und stütze sich mit seiner riesigen Faust. Noch bevor Fulander zum finalen Schlag ausholen konnte, passierte es noch einmal: die Zeit blieb stehen und mit einem Sog landete Fulander in völliger Finsternis.

»Fulander«, ertönte Apyllons intrigante Stimme.

»Apyllon«, erwiderte Fulander und sprach seinen Namen theatralisch hoch.

»Du weißt, was geschehen ist, und was geschehen ist, ist unumkehrbar. Nichts, als meine Finsternis erwartet euch!«

Fulander antwortete zunächst nicht und lief einige Schritte in der Finsternis, die Hände hinter seinem Rücken verschränkt.

»Ich denke, dass macht keinen Unterschied, denn ich bin ohnehin schon blind.«

Das gellende Gelächter Apyllons ertönte von jeder Seite.

»Dieses Ungetüm aus den Tiefen der Unterwelt war nur der Anfang, und ich werde euer Ende sein.«

»Welches Ende? Für mich gibt es so etwas nicht«, entgegnete Fulander entspannt.

»Die Elekuden sind geschwächt, Noxun hat resigniert, Emren kann meiner Kraft nicht standhalten, was also gedenkst du, gegen mich auszurichten. *Alter Mann!*«

Fulander verlor innerlich die Fassung, äußerlich jedoch ließ er sich nichts anmerken. Dies entging Apyllon nicht, er konnte auch in das Innere eines Menschen blicken. Nach einem Moment der Stille, war wieder das finstere Gelächter zu hören.

»Was hast du aus ihnen gemacht, du Scheusal!«, blaffte ihn Fulander wütend an.

»Ich habe gar nichts gemacht, sie sind von ganz allein zu mir gekommen«, antwortete Apyllons schadensfroh. »Und du wirst es auch!«

Ehe Fulander antworten konnte, stand er wieder da, wo er noch eben stand. Das Ungeheuer vor ihm wurde durch Apyllons Präsenz offenbar gestärkt. Es erhob sich mit einem gewaltigen Grölen. Fulander hatte einen weltentrückten Gesichtsausdruck aufgesetzt, offenbar immer noch tief in Gedanken versunken an

seine alten Weggefährten: Frank, Drank und Olaf.
Diese Blöße nutzte sein Gegner und packte ihn mit
seinen riesigen, klauenartigen Händen, welche seinen
Körper gänzlich verdeckten. Wie eine Trophäe hielt
er Fulander in die Höhe und drückte dabei immer fes-
ter zu.

»Fulander«, kreischte eine der Elekudinnen, die
sich auf dem Boden krümmte.

Blut tropfte aus seinem Mund und die würgenden
Geräusche raubten den Elekuden den letzten Funken
Hoffnung.

Izagun, welcher zu sich kam und die Augen weit
öffnete, so als ob er aus einem schlimmen Albtraum
erwacht wäre, vernahm ein dumpfes lautes Geräusch.
Es klang so, als ob ein lebloser Körper mit Wucht auf
den Boden geprallt wäre.

»FULANDER!«, schrie auch er lauthals und rannte
seinem Freund zur Hilfe.

Krabax – Der Meuchler

Nach ihrem Gespräch beschloss Kairen, Noxun einstweilen zu folgen. Sie mochten einander, und ehe sie sich versahen, entstand eine innige Freundschaft. Und so machten sie sich auf den Weg nach Kemmhold, ohne zu wissen, was genau sie dort erwarten würde. Nach einem fünftägigen Fußmarsch kamen sie in Kemmhold an. Noxun blieb keine andere Option, weiter im Osten waren andere Ländereien und Königreiche, die er nicht näher kannte. In Nefalurin war die Gefahr zu groß, als ketzerischer Thronfolger entlarvt zu werden. Um ehrlich zu sein, wusste er eigentlich gar nicht, was er, nachdem er in Kemmhold angekommen war, machen sollte. Dies war ihm einstweilen aber auch egal.

»Was erwartet uns dort?«, fragte Kairen.

Noxun antwortete nicht und starrte verdrossen auf die Weiden, die im Wind wogten. Sie folgten einem Feldweg, der sie durch ein Tal führte. Immer mehr Menschen zogen an ihnen vorbei, Händler mit Packeseln, aber auch Ritter, die zu ihren Wachposten marschierten, um Stellung zu beziehen. In früheren Zeiten benutze man Kapanas als Packtiere, diese Tiere waren so groß wie Häuser, sie besaßen einen schildkrötenpanzerähnlichen Körper, der nach innen gewölbt war und sechs spinnenartige Beine, die an den Seiten des Panzers hinausragten. Ihr schmaler Hals war so lang wie drei Lanzen und ihr Kopf ähnelte dem eines Reptils mit müden Augen. Normalerweise sammelten sie in ihren schalenförmigen Panzern Unmengen an Regenwasser und zogen durch die Landschaften, um andere Tiere bei Bedarf mit Wasser zu versorgen. Die Menschen kamen schnell auf die Idee, Kisten mit allerlei Gütern und auch Menschen darin zu transportieren. Nicht aber die Menschen aus Kemmhold. Sie lehnten es strikt ab, sonderbare Tiere zu zähmen oder sie gar zu ihrem Nutzen zu züchten. Die Kemmholder waren ein Volk, das stets ordinäre Nutztiere nutzte, auch für die Magie hatten sie keinerlei Verwendung. In Nefalurin verbot man ohnehin alles, was nicht im Sinne der Aristokraten war.

»Noxun, wir nähern uns langsam dem Tor. Man wird uns nicht einfach so passieren lassen«, flüsterte ihm Kairen zu.

»Ach ja, warum denn nicht?«, erwiderte Noxun verwundert.

Am Horizont war das mit Ornamenten verzierte Tor aus Stahl zu sehen und der Tumult um sie herum nahm immer weiter zu.

»Weißt du denn nicht, was man sich über den König so erzählt? Man sagt, er sei ein exzentrischer Choleriker. Er lebt gerne abgeschottet und will niemand Fremdes, außer sein Volk, in sein Reich lassen.«

Noxun wusste nicht, was in jüngster Zeit vorgefallen war. Sein Abenteuer rund um den Schlüssel und die kurze Zeit davor machten ihn für alles andere blind. Aber auch Kairen sprach unwissentlich nur die halbe Wahrheit. Der König hatte einen ganz anderen Grund, den niemand kannte. Zumindest noch nicht.

»Ich bin nicht einfach nur ein Fremder, Kairen, und das Königreich Kemmhold ist ein alter verbündeter von Nefalurin.«

»Du meinst **war**.«

»Wie auch immer, ich denke, wir könnten aus der Glut ein Feuer entfachen«, erwiderte Noxun selbstsicher. Der junge Seelensänger schaute ein wenig irritiert drein.

Mit gemächlichen Schritten näherten sie sich dem Tor und standen schließlich unmittelbar davor. Eine riesige Mauer zog sich entlang des Königreichs wie eine Schlange um sein Opfer. Unzählige Bogenschützen standen Wache zwischen den Zinnen. Vor dem ungewöhnlich verzierten Tor standen zwei schwer bepanzerte Wachen mit Lanze und Schild. Kairen und Noxun versuchten ganz unauffällig das riesige Tor zu passieren, welches nur einen Spalt breit offenstand. Die Wachen hatten ein geschultes Auge und konnten anhand der Kleider und des Benehmens schnell ausfindig machen, wer sich unerlaubt hineinschleichen wollte.

»Halt!«, schrie einer der Wachen und die Menge drum herum richtete nun ihre Aufmerksamkeit auf den Soldaten.

Noxun verzog enttäuscht sein Gesicht und blieb stehen, Kairen warf ihm einen vorwurfsvollen Blick zu, den der Schwarze Wolf aber bewusst ignorierte. Die zwei Wachen kamen auf sie zu.

»Ihr seid nicht Bürger dieses Reiches, ihr dürft nicht ohne offizielle Einladung das Tor passieren«, warnte sie einer der Wachen pflichtbewusst.

Währenddessen rannte ein kleiner Junge aus dem Tor ins Freie und rempelte dabei Noxun an, dicht hinter ihm war ein schwarzer Kater, der ihm wie sein Schatten folgte.

»Halt, bleib stehen!«, schrie ihm einer der Wachen hinterher.

»Dieses verzogene Balg. Na, warte, Ilhan! Wenn ich dich erwische, gibt's Dresche!«, brummte nun der andere Soldat.

»Dresche? Wählt Ihr Eure Worte nicht zu hart gegenüber einem kleinen Jungen, mein Herr?«, warf Kairen ein, der ein wenig verärgert über das Gesagte war.

»Kümmere dich um deine eigenen Angelegenheiten, Straßenmusiker!«, kläffte die Wächter wütend.

»Straßenmusiker?«, wiederholte Kairen beleidigt.

Noxun hob seine Hand und beruhigte ihn dadurch, dann wandte er sich der Wache zu und sagte: »Es gibt keinen Grund, um ausfallend zu werden, wir ziehen von dannen.«

Mit einem zermürbten Ausdruck entfernte sich Noxun vom Tor, Kairen trottete ihm lustlos hinterher.

»Vergiss Kemmhold, ich weiß ohnehin nicht, was du hier willst. Der Herrscher dieses Landes ist verrückt, keiner darf ohne Erlaubnis rein oder raus«, sprach Kairen vor sich hin.

Noxun ignorierte zunächst das Gesagte und zog weiterhin ein elendes Gesicht. Sie gingen ein wenig in die Richtung aus der sie angereist gekommen waren und immer wieder suchte Noxun nach etwas auf dem Boden.

»Wonach suchst du? Hast du etwas verloren?«

Noxun antwortete nicht. Plötzlich ging er in die Hocke und tastete den Boden nach einem Fußabdruck ab.

»Weißt du, wie man mich noch nennt, Kairen?«, fragte Noxun in die Landschaft starrend.

Kairen schüttelte leicht verwirrt seinen Kopf.

»Den Schwarzen Wolf.«

Und dann richtete er sich auf und entfernte sich von der Straße in Richtung des angrenzenden Waldes, Kairen hastete ihm ein wenig widerwillig und verwundert hinterher.

»Der Schwarze Wolf? Wohin gehen wir? Und wer bist du wirklich?«

»Ich werde dir alles zu gegebener Zeit erklären. Wir dürfen den Jungen von eben Namens Ilhan nicht verlieren. Dieser Junge kommt nach Belieben in die Stadt hinein und wieder hinaus, die Wachen waren nicht ohne Grund so aufgebracht, und sie kannten seinen Namen, was darauf hindeutet, dass er nicht zum ersten Mal dort war. Wir finden ihn, und er wird uns einen Weg zeigen«, antwortete Noxun, während sie sich weiter dem Wald näherten.

Plötzlich blieb Noxun abrupt stehen und kniete ein weiteres Mal, danach schaute er entsetzt.

»Was ist los?«, fragte Kairen.

»Dieser Junge hatte einen Kater bei sich, einen schwarzen Kater, erinnerst du dich?«

Kairen nickte.

»Sieht so der Pfotenabdruck von einem Kater aus?«, fragte er und deutete auf den Abdruck.

Kairen verschlug es die Sprache. Ein riesiger Abdruck, der von einem Ungeheuer stammen könnte, klaffte im Boden.

»Seltsame Katze, findest du nicht auch?«, fragte Noxun leicht scherzend.

»Nun, ich glaube ab hier braucht man kein Wolf zu sein, um die Spur aufzunehmen«, antwortete Kairen, nicht weniger scherzend.

Sie folgten den riesigen Abdrücken, die sie durch ein kleines Tal in den Wald hineinführten. Auf einmal hielt Kairen vor dem Wald an und gebot Noxun mit der Hand, ebenfalls anzuhalten. Noxun blickte ihn fragend an. Kairen wies mit der Hand auf einen schwarzen Felsen, der unmittelbar vor dem Wald stand und irgendwie fehl am Platz wirkte. Etwas war auf die raue Oberfläche eingemeißelt und mit weißer Farbe nachgezogen worden. Noxun, der in aller Eile gewesen war und erpicht darauf, den Jungen Ilhan zu finden, wäre beinahe daran vorbeigelaufen, als wäre es nichts weiter als ein gewöhnlicher Fels. Sie näherten sich dem schwarzen Stein, der so groß war wie sie und Kairen begann mit seiner Stimme, die noch schöner klang als das Vogelgezwitscher am Frühlingsmorgen, laut vorzulesen:

»Dies ist der Wald Garma.
Halte ein und mache kehrt, wenn du gekommen bist, um
dich zu bereichern.
Ist dem nicht so, so gewährt dir einer der Höhlen und
Bäume ihren Schutz.
Dies ist der Wald Garma.
Verlassen von Menschen, gesucht von Gierigen, gefunden
von Wenigen.
Hast du Angst vor dem Unbekannten, so mache kehrt.
Nicht alles, was an Ort und Stelle stand, wird für immer
dort stehen.
Denn dies ist der Wald Garma, ein schöner Ort für jene,
die es erkennen mögen, ein schlechter für alle Schlächter.«

Nachdem das letzte Wort Kairens Mund verließ, rückte er seine Oud zurecht, welche er an seinem Rücken trug. Noxun blickte ehrfürchtig in den Wald.

»Ein schlechter Ort für alle Schlächter«, flüsterte er vor sich hin.

»Der Wald Garma. Ich habe noch nie von solch einem Ort gehört«, sprach Kairen mit einem bedrückten Gesichtsausdruck.

»Hast du Angst?«, fragte ihn Noxun unversehens.

»Keine Angst, im Gegenteil, ich empfinde Freude. Nur stimmt es mich traurig, dass ich nicht all die schönen Orte auf dieser Erde sehen werde, ehe meine Seele meinen Körper verlässt. An Orten wie diesen fallen mir die schönsten Lieder ein.«

Eine seltsame Stimmung machte sich breit, eine Mischung aus Angst, Neugier und Bewunderung. Dasselbe Gefühl hatte Noxun, als er den Wald La-Hul betreten hatte. Knarrende und knarzende Laute kamen unerwartet aus dem Wald, übertüncht von dem Geräusch der Wurzeln, die sich ihren Weg in die Erde gruben, der Schwarze Wolf blickte Kairen fragend an:

»Sind das ... sind das Bäume, die sich bewegen?«

»Ja, denn nichts, was an Ort und Stelle stand, wird für immer dort stehen«, wiederholte Kairen den Satz, der auf den Felsen gemeißelt war. »Ich kann Spuren lesen, aber nicht an einem Ort, der sich ständig verändert und an dem nichts dortbleibt, wo es einmal war. Wir können den Jungen nicht in den Wald folgen, geschweige denn, ihn dort finden«, sagte Noxun enttäuscht.

Kairen lächelte ihm zu und sein Gesicht strahlte, der Schwarze Wolf erwiderte dies mit einem verdutzten Gesichtsausdruck.

»Was, wenn wir ihn gar nicht suchen brauchen, sondern er zu uns kommt?«

»Warum sollte er so etwas tun?«

»So wie du deine Fähigkeiten hast, habe ich die meine, Noxun. Ich sehe die Seelen der Menschen, die Farbe und ihre Stimmung.«

Fürwahr war dies eine der Fähigkeiten eines Seelensängers, von der nur sehr wenige Menschen wussten. Noxun schaute ihn nun hochachtungsvoll an und wagte es nicht, ihn zu unterbrechen.

»Dieser Junge war rein, so rein wie der silberne Mondschein, wenn er hell oben leuchtet und seine Strahlen die Flüsse und Seen zu silbernen Straßen machen. Aber auch sah ich, dass er allein war, ausgenommen sein Kater. So treu sein Gefährte auch sein mag, einen Menschen kann er nicht ersetzen. Es gab mal einen König, der eben jenes herausfinden wollte. Er wollte wissen, ob ein Kind ohne Liebe und die Berührung von Menschen überleben kann. So kam es, dass er ein Kind in einem üppig ausgestatteten Zimmer einschloss. Es fehlte ihm an nichts, weder an Essen noch an Trinken, jedoch an menschlicher Zuneigung. Denn es war keinem gestattet, mit diesem Kind zu reden oder ihn auch nur zu berühren.« Er seufzte tief und seine Lippen vermochten kaum weiter zu sprechen. »Das Kind starb nach kurzer Zeit und weißt du warum?«

Noxun senkte trübsinnig seinen Kopf.

»Weil es nicht geliebt wurde und keine Zuneigung bekam. Sei es auch Aufmerksamkeit in Form von Schlägen und Gewalt gewesen, es hätte zum Überleben gereicht. Aber keine Aufmerksamkeit zu bekommen, egal in welcher Form, ist tödlich. Viele Kinder, die nur sehr wenig Zuneigung von ihren Eltern bekommen, suchen sie deshalb woanders. Sie spielen Streiche und bewerfen Menschen mit rohen Eiern. Nicht nur, weil sie Spaß daran haben, sondern auch, weil sie Zuneigung suchen, egal in welcher Form. Dies Noxun ist auch der Grund, warum er dich angerempelt hat, als er geflohen ist.«

Noxun sah in den Wald, diesmal aber wich sein Respekt der Schwermut.

»Wir werden also nicht hineingehen«, stammelte er.

»Nein, Noxun. Ich denke nicht, dass wir ihn finden würden, selbst wenn wir hineingingen und hundert Mann mit denselben Fähigkeiten wie du hätten.«

Die Bäume im Wald regten sich wieder, das Geräusch kam tief aus dem Wald und ihnen war klar, dass hier größere Mächte am Werk waren. Sie setzten sich nun vor dem Felsen hin und sprachen eine ganze Weile nicht miteinander. Die Abenddämmerung brach an, und die Sterne funkelten wie Glühwürmchen in der Nacht. Kairen atmete tief ein und aus, ehe er seine Oud in die Hand nahm und eine wunderschöne Melodie spielte. Danach fing er an mit seiner märchenhaften Stimme, bei der selbst Kirschblüten im Winter erblühen würden, zu singen.

»Spiel mir das Lied vom Regen,
danach laufe der Sonne entgegen,
frage nicht weswegen,
denn irgendwann endet es wie Wind und Regen.
Oh, du armes Kind, schaue nicht so verlegen,
das ist nicht der Blick eines Degens,
höre auf zu überlegen.
Denn Kinder wie du, haben einen besonderen Segen.
Ich weiß, du bist zugegen.
Komm heraus, wir wollen reden.«

Knisternde Geräusche, vielleicht kleine Äste, die auf dem Boden zerdrückt wurden, ertönten aus unmittelbarer Nähe. Noxun wollte zugleich aufstehen und nachschauen, jedoch gebot ihm Kairen, ruhig sitzen zu bleiben.

»Er war die ganze Zeit über da?«, flüsterte ihm Noxun zu.

Der Seelensänger nickte nur. Plötzlich ertönte eine Kinderstimme aus dem Wald:

»Kommt doch in den Wald, wenn ihr euch traut!«

»Nein, Ilhan, wir werden diesen Wald nicht betreten«, antwortete Kairen sanft und einfühlsam.

»Ihr wollt mich fangen und den Wachen übergeben, aber meine Katze wird das nicht zulassen!«, schrie der Junge aus dem Wald. Kairen und Noxun schauten sich gegenseitig in die Augen während sie ihn ausfindig machen wollten.

»Nein, Ilhan, auch wollen wir dich nicht fangen und den Wachen übergeben, du irrst dich«, erwiderte Kairen gutmütig.

»Was wollt ihr dann?«, schrie Ilhan, der nun ein wenig verärgert klang.

»Deine Freunde sein, Ilhan«, sagte Kairen und warf nun einen gezielten Blick in den Wald, obwohl alles dunkel war, und man nichts erkennen konnte.

Der Junge zuckte zusammen, Tränen kullerten nun über seine knallrote Wange, die mit Sommersprossen besprenkelt war.

»Ilhan … Ilhan hat keine Freunde und wird nie welche haben«, seufzte er und weinte seinen Kummer laut aus sich hinaus.

»Du irrst dich, jeder hat Freunde, du bist ihnen nur noch nicht begegnet.«

Ilhan schluchzte nun heftig und umarmte seinen schwarzen Kater, welcher sich ebenfalls an ihn schmiegte.

»Ich dachte auch, ich hätte keine Freunde. Doch dann, ganz unversehens, traf ich Noxun, genau wie du.«

Ilhans lautes Schluchzen brachte Kairen dazu, sein Haupt zu senken und selbst gegen die Tränen anzukämpfen. Noxun schaute ihn verdutzt an, denn was er nicht wusste, war, dass Kairen ebenfalls als Waisenjunge aufgewachsen war und niemanden hatte. Ilhan erinnerte Kairen an sich selbst, als er noch ein kleiner Junge war und an die Probleme, mit denen er zu kämpfen hatte. Dies war auch der Grund, warum er so verärgert über den Wächter war.

Aus einiger Entfernung waren Trampelgeräusche zu hören. Kairen, welcher in Erinnerungen schwelgte, vernahm diese nicht, doch Noxun horchte auf und schärfte seine Sinne. Erst dachte er, es seien wilde Pferde, doch als das Getrampel lauter wurde, war ihm mulmig zumute. Hastig richtete er sich auf.

»Ilhan, ich …«, noch bevor Kairen aussprechen konnte, wurde er vom Schwarzen Wolf unterbrochen.

»Ilhan lauf! Verschwinde von hier und versteck dich!«, schrie Noxun so laut er konnte. Er hatte eine schlimme Vorahnung, die sich als wahr herausstellen sollte. Keineswegs waren es wilde Pferde, die in der Gegend umherirrten, sondern eher Räuber oder Mörder, die ihre Errungenschaften im Wald verstecken wollten. Ilhan gab keinen Laut mehr von sich, Kairen entfloh seinen trüben Gedanken und stellte sich neben Noxun.

Das Getrampel wurde lauter.

»Ich glaube, für eine Flucht ist es zu spät. Sie würden uns auf diesem offenen Terrain abfangen«, sprach Noxun. Er war zwar ein gebrochener Mann, dies stimmte, aber er war auch ein talentierter Krieger und genau dieser sprach nun.

»Wir könnten in den Wald …«

»Nein, es ist zu gefährlich, wir sind weder ortskundig noch haben wir Fackeln, um uns den Weg zu erhellen. Und außerdem möchte ich Ilhan nicht in Gefahr bringen.«

»Was, wenn es Menschen sind, die keine bösen Absichten haben?«

Pferdewiehern war zu hören und noch lauteres Gejohle.

»Dies ist der Wald Garma, verlassen von Menschen, gesucht von Gierigen, gefunden von Wenigen. Erinnerst du dich, was auf dem Felsen stand?«, sagte Noxun zu Kairen mit leiser Stimme.

»Ja, aber sie werden nicht töricht genug sein, um an solch einem Ort Schutz zu suchen«, erwiderte Kairen.

Noxun zog sein Schwert. »Denkst du, so etwas verschreckt sie? Menschen, die Menschen umbringen, nur um sich zu bereichern, schrecken vor nichts zurück.«

Nun zog auch Kairen sein dünnes Langschwert, denn auch er war ein fähiger Krieger, jedoch vermied er es, Gewalt anzuwenden oder sein Schwert zu ziehen, wenn es möglich war.

Ehe sie sich versahen, umzingelte sie eine Schar von berittenen und bewaffneten Räubern. Schwarze hässliche Bemalungen verzierten ihre Arme und ihre Gesichter, Säcke voll Gold und anderen wertvollen Gegenständen, hingen an den Sätteln ihrer Pferde, was sich durch das klimpernde Geräusch bemerkbar machte. Noxun und Kairen standen nun Rücken an Rücken, kampfbereit und entschlossen. Der Anführer der Bande, ein kahlköpfiger Hüne mit vielen Narben am Körper und im Gesicht, stieg von seinem Pferd und näherte sich den beiden.

»Tötet sie!«, schrie einer aus den hinteren Reihen.

Noxun und Kairen wichen gleichzeitig ein wenig zurück, sodass sie unmittelbar am Waldrand standen.

»Schneidet ihnen die Kehle durch!«, brüllte ein anderer mit einer riesigen Keule in der Hand.

Wildes Gejohle brach aus, allesamt waren sie erpicht darauf, die beiden zu köpfen. Ihr Anführer gebot dem Einhalt, indem er seine Hand hob. Daraufhin spuckte der mit der Keule in der Hand auf den Boden und warf den zweien einen angewiderten Blick zu. Nun wieherten die Pferde lauter als zuvor, selbst diese zarten Wesen wurden in den Händen von diesen Menschen zu brutalen gefühllosen Tieren dressiert. Noch bevor der Kahlkopf in Reichweite war, richtete Noxun seine Schwertspitze an seine Kehle und gab ihm somit das Zeichen, keinen Schritt näherzukommen. Jeder andere Mensch bei Verstand wäre nun zurückgewichen. Die Meute um ihn herum machte keinerlei Anstalten, ihrem Anführer zu helfen. Ihr Anführer drückte seinen Hals so tief in die Schwertspitze bis es zu bluten anfing, mit einem hässlichen Grinsen und einer kehligen Stimme sagte er:

»Dich werde ich als Erstes töten, deine Eingeweide auf der Wiese verteilen und deinen Kopf auf einem Pfahl aufspießen.«

Wildes Gelächter brach aus, einige verhöhnten sie mit widerlichen Worten, von denen man nicht Gebrauch machen sollte.

»Noch nie vernahmen meine Augen solch eine boshafte Farbe, deine Seele ist so abgrundtief böse wie Xanadur«, sprach Kairen sanft mit einem bedrohlichen Unterton.

Der Glatzkopf drehte sich um und machte einen Gesichtsausdruck, als ob er sich verhört hätte.

»Oh, seht nur, wir haben einen Seelensänger unter uns!«, schrie er seiner Meute zu, diese brachen wieder in ein unheimlich gekünstelt klingendes Gelächter aus.

»Deine Augen werden bald nur noch deine eigenen Innereien vernehmen. Ich werde dich qualvoll töten, dich malträtieren, solange bis du darum bettelst, getötet zu werden. Aber selbst dann werde ich dich nicht erlösen. Nein, ich werde es hinauszögern, solange wie nur irgend möglich, und dann wird keiner da sein, der deine Seele in das andere Reich führt, sodass Apyllon dich zu seinem Untertan machen kann.«

Kairen bebte innerlich, trug jedoch seine Wut über das Gesagte nicht nach außen, sondern versuchte, ruhig zu bleiben. Der Anführer bemerkte die geliebte Oud von Kairen auf dem Boden, auf der er vor kurzem noch gespielt hatte. Er streckte seine widerwertigen, mit trockenem Blut verschandelten Hände danach aus, hob sie in die Luft und brach sie mit seinen Knien entzwei. Kairen konnte nicht anders und rannte wutentbrannt auf ihn zu, noch bevor Noxun ihn davon abhalten konnte. Dabei wurde er von einem Pfeil an seinem Bein getroffen und fiel wimmernd zu Boden. Er wimmerte nicht, weil er körperliche Schmerzen hatte, sondern seelische. Schmerzen, die er zuvor nur einmal erlebt hatte, als er seinen Geliebten verlor. Des Seelensängers Instrument ist heilig und einmalig, kein anderes Instrument vermag solch Töne erklingen zu lassen. Viele Könige wollten die Oud ihr Eigen nennen, um damit zu prahlen. Doch konnte sie nur von Seelensängern selbst gespielt werden, kein normaler Musiker brachte es zustande, einen Ton, geschweige denn, ein annehmlich klingendes Lied zu spielen. Dieses heilige Instrument wurde nun vor seinen Augen zerstört. Sich windend und schluchzend, umklammerte er die Überreste seiner geliebten Oud, auf der er schon unzählige Lieder gespielt hatte. Arme Kinder, die an Hunger litten und kein Heim hatten, waren dann glücklich, wenn sie seine Stimme vernahmen und die Töne ihre Mägen wie von Zauberhand füllten. Für einen kurzen Augenblick erblickten die Hoffnungslosen dieser Welt ein Licht, das sie durch die Dunkelheit führte. Doch dies alles sollte nun nicht mehr sein. Kairen wimmerte so laut und schmerzhaft, dass Noxun seine Tränen nicht mehr zurückhalten konnte.

»Nie wieder werde ich glücklich sein …«, klagte Kairen verbittert.

Die Meute amüsierte sich beim Anblick und einige äfften ihm mit schriller Stimme nach.

»Habt ihr ruchlosen Mörder denn keinen Funken Anstand?«, schrie Noxun sie zornig an.

»Das war noch meine gütigste Tat, noch schlimmere Qualen erwarten euch«, blaffte der Kahlkopf zurück.

Der Boden auf dem Kairen lag, war nun voller Blut, welches aus seinem Bein quoll.

»Ich werde dir einen Gefallen tun und dich von deinem verletzten Bein erlösen«, sagte der Anführer. Er zog sein schartiges, Blut verschmiertes Krummschwert.

Noch bevor die Klinge das Bein erreichen konnte, war Noxun zur Stelle und parierte geschickt den Schwerthieb. Dabei wurde seine Schulter von einem Pfeil durchbohrt, und auch er fiel zu Boden. Er lag nun neben seinem treuen Gefährten. Der kahlköpfige Anführer war nun völlig aufgebracht und bebte vor Wut, zähneknirschend sagte er:

»Du wagst es, mich zu stören? Du elender Wurm! Bringt mir die stumpfe Bumba«, schrie er seinen Leuten zu. Die Keule, die er so nannte, war in der Tat stumpf, denn es war nur ein kugelrunder Metallklotz ohne Stacheln und Nieten. Mit dieser Waffe konnte er seine Opfer besonders lange quälen, da die Keule dem Opfer keine Schnittwunden und dergleichen zufügte, sondern nur stumpfe Schmerzen.

»Ich werde auf euch einprügeln bis ihr wie die Erde im Wasser zu Matsch werdet! Ich werde euch so tief in den Boden prügeln, dass die Larven und Würmer sich an euren Überresten laben können.«

Zwei Männer lösten sich aus der Meute, liefen mit der Bumba in den Händen auf ihn zu und übergaben ihm die riesige Keule, die nicht jeder Mann hätte in den Händen führen können, weil sie so schwer war. Noxun und Kairen lagen nur da und machten keinerlei Anstalten, sich zur Wehr zu setzen, beide waren sie verwundet und seelisch gebrochen.

Die Räuber fingen an, Fackeln zu entzünden. Langsamen Schrittes begannen sie sich zeitgleich in Bewegung zu setzen. Die Schar umkreiste sie und deren Anführer in der Mitte mit ihren funkelnden Fackeln in der Hand. Sie machten die Nacht fast zum Tage, so viele waren es. Mit gesenkter Stimme fingen sie an im Chor ein Wort immer und immer wieder zu wiederholen: »Xanadur.«

Kairen, dessen Atem vor lauter Schmerz röchelte sagte:

»Es tut mir leid, Noxun. Es tut mir leid, dass ich leichtfertig drauf losgerannt bin und du meinetwegen nun …«, er vermochte nicht, noch mehr Worte der Trauer zu sprechen.

»Es braucht dir nichts leid zu tun, mein treuer Freund«, ächzte Noxun unter Schmerzen.

»Ich bereue nur, dich nicht schon eher gekannt zu haben.«

Der Anführer schwang seine Keule nach oben, um mit Schwung wie ein Schmied, der glühendes Eisen verformt, auf sie einzuschlagen. Plötzlich schallte ein polterndes, bebendes Geräusch aus dem Wald. Daraufhin unterbrach der Peiniger seinen Angriff, schaute verächtlich in den Wald und schnaubte laut durch die Nase. Wieder erhob er seine mächtige Keule und wieder unterbrach ihn das Geräusch aus dem Wald. Diesmal war es noch heftiger als zuvor. Der Boden unter seinen Füßen bebte, die Schar um ihn herum wurde unruhig und unterbrach ihr Ritual. Verwirrt blickten sich die zwei auf dem Boden in die Augen, nicht wissend, was vor sich ging. Angst durchfloss nun die Venen der Räuber. Angst vor dem, was aus dem Wald kommen könnte. Trotz der Fackeln wurde es für einige Sekunden dunkel und ehe sie das Geschehene verarbeiten konnten, schlug ein riesiges Ungeheuer mit solch einer Wucht auf den Boden ein, dass eine Reihe der Räuber komplett zerfiel und durch die Luft gewirbelt wurde. Ein ohrenbetäubendes Brüllen brachte ihr Trommelfell an die Schmerzensgrenze. In völliger Rage schlug die Bestie weitere Schneisen durch die Reihen. Die Männer bekamen es mit der Angst zu tun. Sie wussten, dass das Ungeheuer nach ihrem Leben trachtete und keinen am Leben lassen würde. Der Zorn in den Bewegungen des Ungeheuers war förmlich zu spüren.

»Was … was ist das für ein Ungeheuer?«, japste Noxun.

Das monströse Wesen fing an, mit seinen muskelbepackten Armen auf die Räuber einzudreschen, diese hatten nichts entgegenzusetzen. Ihr Anführer wurde leicht panisch und lies seine Bumba fallen, schlug einen seiner Leute vom Pferd und stieg selbst auf, um zu fliehen.

»Noxun, sieh mal genau hin«, flüsterte Kairen während er aus Versehen auf dessen verletzte Schulter tippte. Mit schmerzverzerrtem Gesicht versuchte Noxun sich nun genau auf das Wesen zu konzentrieren, und tatsächlich hielt sich da jemand an der riesigen Schulter fest.

»Ist das … ist das Ilhan?«, fragte er vorsichtig nach, weil er nicht glauben konnte, was er da sah.

»Niemand tut Ilhans Freunden weh!«, schrie Ilhan. Daraufhin brüllte das Ungeheuer und wurde noch zorniger, nicht einmal die Erde konnte ihm standhalten. Riesige Krater bildeten sich an den Stellen, an denen seine Faust einschlug.

»Seine Katze«, sagte Kairen unvermittelt, »es ist seine Katze.«

Der kahlköpfige Halunke versuchte immer noch von dannen zu ziehen. Zu seinem Entsetzen jedoch flogen seine Leute um ihn herum und Ilhans Katze schlug alles in die Luft, was ihm in den Weg kam. Sein Pferd wieherte laut und scharrte dann ungeduldig am Boden. Als er im Chaos keinen sicheren Ausweg sah, stieg er von seinem Pferd, schnappte sich einen Speer und warf ihn mit voller Wucht auf Ilhans Kater, noch bevor Kairen oder Noxun den kleinen Jungen warnen konnten. Zu ihrer Überraschung prallte der Speer am Fell ab, als hätte man einen Pfeil gegen eine Steinmauer geschossen. Der schwarze Kater widmete nun dem Anführer seine volle Aufmerksamkeit. Er bewegte seinen massigen Körper in die Richtung des Mörders. Der Großteil seiner Meute lag tot auf dem Boden oder ergriffen die Flucht. Kaum einer traute sich, sich gegen diese Gewalt aufzulehnen.

»Schützt Draugar um jeden Preis!«, rief einer aus der Meute.

Vier Männer eilten herbei und stellten sich der Katze in den Weg, diese fegte sie mit einer Armbewegung weg. In der Zwischenzeit ergriff Draugar mit einigen seiner feigen Kumpanen die Flucht.

»Draugar, der feige Mörder, Kinderschänder, Dieb und all die anderen Sachen, die ich nicht nennen möchte«, raunte eine Stimme durch die Nacht.

Draugar blieb abrupt stehen. Er schrie in die Nacht:

»Wer spricht soll hervortreten, ich werde ihn um eine Last erleichtern!«

Ilhans Katze nahm wieder seine normale Tiergestalt an und beide hasteten sie zu Kairen und Noxun. Dies bemerkten die Männer von Draugar und einer von ihnen sagte:

»Dieses Ungeheuer ist nicht mehr da, sollen …«

»Geht und schlachtet sie ab! Worauf wartet ihr noch!«, brüllte Draugar ihn an. »Und du, deine Stimme kommt mir bekannt vor, zeig dich und versteck dich nicht wie Ungeziefer!«, wandte er sich an die mysteriöse Stimme.

»Wer sagt denn, dass ich mich verstecke?«, antwortete die Stimme leise, aber durchdringend scharf.

Draugar und drei seiner Männer, die zurückgeblieben waren, bildeten einen Kreis, Rücken an Rücken und horchten auf ein Zeichen, das ihren Widersacher verraten könnte.

»Wer ist dieser Kerl und wo ist er?«, fragte einer der Männer in die Runde.

»Krabax der Meuchler, und ich bin hier!«, zischte die Stimme zurück.

Aus der Mitte der Gruppe heraus warf Krabax vier Dolche, drei davon landeten in den Köpfen der Diebe und einer verletzte Draugar am Bein, dieser fiel schreiend auf die Knie. Ein Schatten, ähnlich Fulanders, aber weitaus dünner, fast schon wie ein Faden, zog all seine Dolche in seine Hände zurück. Sie verschwanden ebenso schnell unter seinem Umhang, wie sie herausgeschossen kamen.

»Wieso schreist du, Draugar der Erbarmungslose. Diese Schmerzen sind nichts im Vergleich zu dem, was du anderen an Leid zugefügt hast«, fuhr ihn Krabax harsch an.

Inzwischen näherten sich die anderen Schergen von Draugar den zwei Verletzten und Ilhan. Sein schwarzer Kater gähnte müde, streckte alle Gliedmaßen von sich und legte sich behaglich auf die Wiese, um ein Nickerchen zu halten. Ilhan war gerade dabei, die Wunden mit etwas aus seinem Beutel zu behandeln, als Noxun ihn nach hinten stieß:

»Nimm deinen Kater und lauf, Ilhan! Flüchte in den Wald!«

Der kleine Junge war sich der Gefahr bewusst, die ihm bevorstand, sein Kater war zu müde, um noch eine Verwandlung durchzuführen und ohne ihn war er den Leuten schutzlos ausgeliefert. Mit einem verschreckten Gesichtsausdruck versuchte er sich aufzurichten und stolperte dabei rücklings auf einen der leblosen Körper, welcher auf der Wiese lag. Noxun und

Kairen versuchten verzweifelt, etwas zu unternehmen, aber sie waren nicht imstande dazu, sich aufzurichten. Ein merkwürdiges Gefühl breitete sich in ihren Gliedmaßen aus. Die Pfeile, mit denen sie verwundet worden waren, waren in lähmende Pflanzenextrakte getaucht worden. Wieder einmal wurde der Boden unter ihnen erschüttert. Diesmal aber war es nicht Ilhans Katze, die dieses Beben erzeugte, sondern ein Riese, der aus dem Wald trat. Äußerlich unterschied sich der Riese nur in Einem von einem Menschen: Er war fast zehnmal so groß. Sein bräunlicher Bart, der ihm bis zur Taille ging, baumelte bei jedem Schritt hin und her. Mit verzogenen Augenbrauen schaute er die Räuber scharf an.

»Kairen, ich glaube, ich habe für heute genug gesehen«, stöhne der Schwarze Wolf.

Kairen antwortete nicht, er war bereits ohnmächtig geworden.

»Kairen …«

Nun schloss auch Noxun seine Augen und verlor das Bewusstsein, ein letztes Mal erhaschte er einen Blick auf den Riesen und sah nur verschwommen, wie dieser mit einem mächtigen Hieb die Meute durch die Gegend schleuderte.

Das niemals endende Lied

Sonnenlicht durchflutete die Baumkronen. Die Strahlen der Sonne trafen jedes einzelne Blatt und ließen sie dabei goldbraun schimmern. Eine betörende Stimme hallte durch den Wald. Es war eine schöne, aber auch melancholische Stimme.

»Ich spiele nur Klagelieder,
Wenn ich mir die Welt anschaue, erzittern meine Glieder.
Der taktlose Tanz des Bösen.
Wann werden wir aufhören zu dösen, aufwachen und
unsere Fesseln lösen?
Denn niemand außer dir selbst, kann dich erlösen ...«

Heftig blinzelnd, bedingt durch die grellen Strahlen der Sonne, öffnete Noxun seine Augen.

»Nie wieder werde ich spielen können auf
meiner langen Reise.
War der Weg, den ich ging, nicht weise?«

Nur mühselig und noch ein wenig benommen richtete sich Noxun auf: *»Das ist die Stimme von Kairen. Wo steckt er?«*, fragte er sich und sah sich um. Und wie aus dem Nichts stand plötzlich eine Person hinter ihm, woraufhin er erschrocken zurückwich. Es war Krabax, welcher vermummt und die Kapuze aufgesetzt hinter ihm stand und ihn scharf beobachtete. Nur seine pechschwarzen Augen waren zu sehen, den Rest seines Körpers umhüllte ein schwarzer Umhang.

»Wer bist …«

»Krabax«, unterbrach ihn der Meuchler mit einem zischenden Laut.

Ohne ein weiteres Wort zu verlieren, lief er an Noxun vorbei und deutete ihm, ihm zu folgen. Kairens Stimme wurde deutlicher.

»Von nun an werde ich nur noch dem Zwitschern der Vö-
gel horchen,
Und mich nicht mehr um meine Oud sorgen.
Denn sie ist nicht mehr.
Einst ertönte ihre Melodie so schön wie das weite Meer,
Ohne sie in meiner Hand fühle ich mich so leer.«

Wehmütig senkte Noxun seinen Blick und auch sein Gang wurde langsamer. Krabax ging ungeachtet dessen im selben Tempo weiter.

»Verdrossen blicke ich in einen Teich.
Sehe mein Spiegelbild und frage mich,
bin ich zu weich?
Gibt es noch Licht …«

Der Wald lichtete sich mit jedem Schritt, den sie weitergingen. Nachdem ein gleißendes Licht, welches sich auf einem See spiegelte, Noxun blendete, und er schützend seine Hand vor das Gesicht hob, sprach eine laute, aber auch zugleich herzliche Stimme:

»Ah, da ist dein Freund, Kairen.«

»Vergrämt suche ich nach einem Weg, um weiter zu rei-
sen, mein Freund Noxun.
Willst du mir einen Weg weisen?«

Der Schwarze Wolf schaute verdutzt um sich und begriff noch nicht so recht, was geschehen war. Auf einem Felsen am See nahm Krabax Platz und schaute missmutig gen Himmel. Ilhan und sein Kater saßen auf der Schulter des Riesen und blickten Noxun erwartungsvoll an. Und plötzlich ertönte die Melodie einer Oud, genauso schön und klagevoll, wie sie Noxun die Nächte zuvor geweckt hatte. Mit einem erschütterten Blick fragte er laut:

»Das ist nicht möglich, wie kann das sein?«

Alle waren sie still und leise bis Kairen sagte:

»Mein Freund, ab sofort ist dein Weg mein, und mein Weg dein.«